2 なぜ「探究」が必要なのだろう？

ここまで読んで，みなさんのなかには「なんで**探究**をやる必要があるのだろう」という疑問を持った人もいるのではないでしょうか。もしそんな疑問を感じたなら，学校を卒業した後に就職した自分自身をイメージしてみてください。どのような仕事であっても，何十年も同じことをくり返すだけということはありません。社会の進歩にあわせて，仕事の内容も常に変化し続けます。そんなときに，みなさん自身で「何が問題で，それをどうしなければならないのか」という**課題**と**解決策**を発見する必要があるのです。[2]

[2] 仕事で役立つ探究のスキル

1つの例として仕事の場面をイメージしてもらいましたが，それ以外の場面でも，みなさんがこれからの人生を送っていくなかで，数多くの**課題**に突き当たることでしょう。そこには，「あらかじめ用意された唯一の正解」はありません。何を解決すればよいのかもわからないくらい難しい**課題**に取り組むこともあるでしょう。そのようなとき，**探究**で身につけた力が発揮されるのです。つまり，高校生である今のうちに**探究**の方法を学ぶことで，将来の自分の人生に役立てることができるのです。

Work ❶ 自分の興味がある仕事について，これまでにどんな変化があったか書いてみよう。

Work ❷ なぜ探究が必要か理解できたかな？ できたらチェックしよう。 

3 「探究」を通して将来について考えてみよう

前述したように，**探究**で身につけた力は，将来の人生において役立つものです。それと同時に，**探究**をすることを通じて，将来の人生について考えることもできます。自分が**探究**するテーマを考えるときには，ぜひ自分の希望する将来の仕事や学んでみたい学問分野と重ねて考えてみてください[3]。そうすることで，自分のやりたいことがより明確になったり，表面だけしか見えていなかったことがより深く見えるようになったりするでしょう。**入学試験**や**就職試験**において，より深く**志望動機**を伝えることが可能になりますし，**探究**したテーマの知識について自信を持つことができます。これは，何かの分野の専門家になることへの第一歩です。「○○の分野のことなら詳しい」と言える自分を想像してみてください。カッコよくないですか？

③ 探究するテーマと将来

Work ❶　自分が「詳しくなりたい！」と思う分野やテーマを書いてみよう。

Work ❷　探究を将来に活かす大切さが理解できたかな？　できたらチェックしよう。 ☑

4 どうやって「探究」すればよいのだろう？

探究の大切さについて理解できましたか？　さて，**探究**はどのように取り組めばよいのでしょうか。学校の授業は「国語」や「数学」などの教科で学習内容が分けられています。一方，**探究**は教科の枠を超えて取り組むことが特徴です。**探究**は，最初に次の３つのポイントを踏まえ，取り組むとよいでしょう。

①　今，あなたが気になっている**テーマ**は何でしょうか。

②　その**テーマ**に関して，あなたはどのような疑問や問題意識があるでしょうか。

③　どのようなことをすれば，答えや**解決策**が導き出せるでしょうか。

たとえば，①「**新型コロナウイルス感染症**の流行と収束」について気になっているとすれば，②「過去にはどのような感染症が流行し，どうやって収束したのか」という点では**歴史**の知識が必要となり，「そもそもウイルスとはどういったもので，どんな特徴があるのか」という点では**理科**の知識が必要となります。これまでの授業で学んできた知識を複合させ，**探究**することで，③「このようなことに取り組むことで感染症の流行を収束できる」という自分なりの答えを導き出すことができるのです。

このワークブックの第４章「**事例**」➡p.26~88では，社会で話題の 16 の**テーマ**[4]を事例とともに紹介しています。これらの事例を参考にして，自分が**探究**してみたい**テーマ**を発見してください。**テーマ**を発見した後の詳しい**探究**の方法は，次の第２章「**探究メソッド**」➡p.8~19で紹介していきます。

4 事例の 16 テーマ

Work ❶　上の 16 のテーマのなかで，興味があるものを書いてみよう。

Work ❷　探究の３つのポイントが理解できたかな？　　　できたらチェックしよう。 ☑

第2章　探究メソッド

この章では，より具体的なテーマのみつけ方や問いの立て方，情報の探し方や，探究成果のまとめ方など探究に関するメソッドについて学習しましょう。

Step 1　テーマの絞り方

1　テーマのみつけ方

探究[1]の**テーマ**は，このテキストの事例に関すること，自分の興味があること，将来の夢や職業に関すること，最近気になったニュースに関することなどを出発点に探してみるとよいでしょう。また，**テーマ**を決めるときは，その**テーマ**を**探究**することが，現実の**課題**を解決することにつながるかといった視点を持つことも大切です。

将来の夢や職業，興味の例	テーマ例
市役所職員の仕事	若者にとって住みやすい街にするための施策
身の回りのジェンダーギャップ	高校でのジェンダーギャップと解決策
高齢化の課題	健康寿命を延ばすためにできること
メイクアップ	メイクアップが社会で果たす役割

Key Point　理想や目標と現実とのギャップを解決するためにはどうしたらよいか，という具体的な問いを立てられるかが大切。

[1] 探究プロセスの例

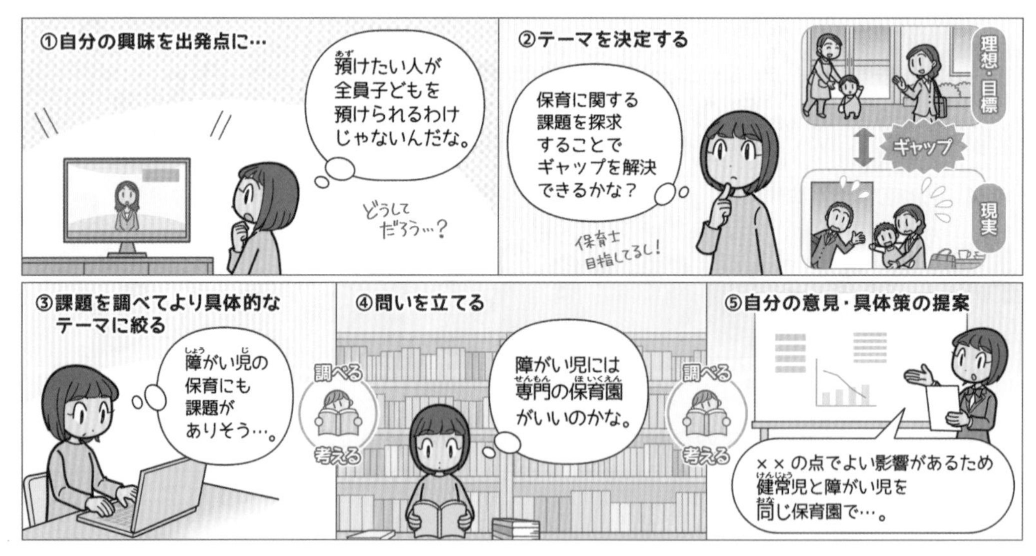

2 問いの立て方

テーマが決まったら，そこから**探究**に必要な**問い**を立てなければなりません。そのためには，まず**テーマ**に関する基礎的な情報やその周辺の情報を調べてみるとよいでしょう。

たとえば，あなたが「将来は保育士になりたい」と思っていて，保育に関する**課題**を**テーマ**に選んだとします。保育の現状を調べると，保育に関しては，待機児童，病児保育，保育士不足などさまざまな**課題**があることがわかります。あなたは「障がい児保育」についてさらに調べることで，新たな**テーマ**として「障がい児に対する保育体制の未整備」を発見し，さらに現状や**課題**，先行研究を調べます。そこから「障がい児は専門の保育園で保育するほうがよいか，健常児と同じ保育園のなかに体制を整えて保育したほうがよいか」という**問い**を立て，それぞれの長所や短所を調べたり考えたりして自分の考えを明確にします。**問い**は**探究**が進むとさらに絞られます。つまり，**テーマ**を深く調べなければ**問い**を立てることはできず，調べれば調べるほど**問い**は，より具体的になります。[2] より具体的な**問い**に絞りこむ段階は**探究**がかなり進んだ段階であり，**問い**がうまく設定できればほぼその**探究**は成功といえます。

2 問いは調べることで具体的になっていく

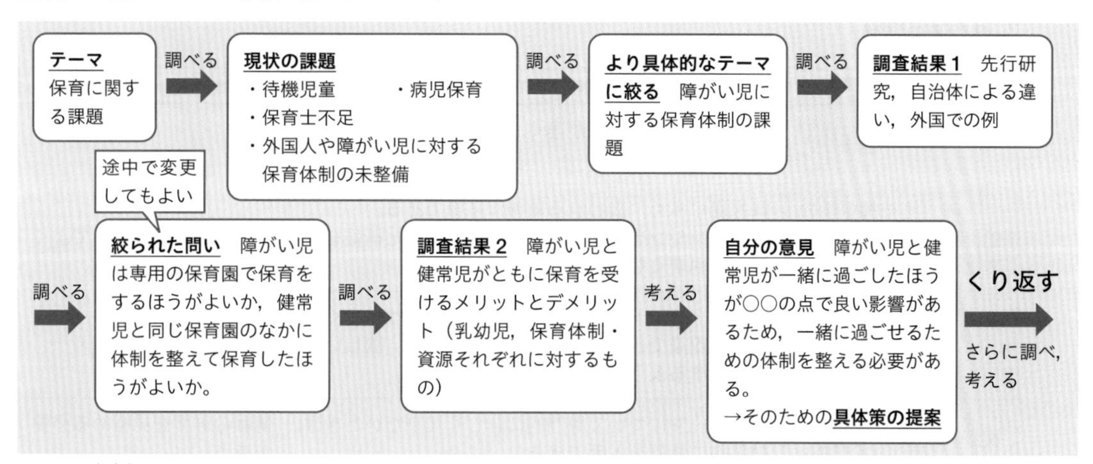

自分自身で**問い**を立てるときには，次のポイントを意識してみてください。

問いの立て方のポイント

- 調べることで**問い**がみえてくる。
- 「なぜ」という疑問を大切にする。
- **問い**は具体的にする。（**問い**は途中で変わっても構わない）
- Yes か No（賛成か反対）かで答えられる問いかけの形にする。
- 既存の資料を集めやすい**テーマ**にする。
- 自分で調べられ，理解できる範囲のことにする。

Work ❶　ふだん疑問に思っていることは何か，思いつくことを挙げてみよう。

Step 2 情報の探し方

探究には，情報収集が不可欠です。また，**テーマ**や**問い**はただ考えているだけでは設定できません。Step2 では，**探究**に必要な情報の探し方について，学んでいきましょう。

1 情報収集のポイントと情報源の特徴

情報収集のポイントには次のようなものがあります。

情報収集のポイント

- 最初は広く浅く調べる。
- 情報源の特徴[3]を理解して，情報源を使い分ける。
- 複数の情報を比較し，信頼性を見極める。
- より新しい情報を使う。

最初に気になることについて，広く浅く調べることの大切さは，p.9 でも学んだね！

情報収集のポイントにある「より新しい情報」の多くは，インターネットに公開されています。その一方で，インターネットでは，誰でも情報を発信できるため，なかには間違っている情報や，いつ誰が公開したのかわからない情報も紛れています。情報源にはそれぞれ長所，短所があります。情報源の特徴を知ったうえで，必要な情報に合わせて活用しましょう。

[3] 情報源の特徴

情報源	主な特徴		情報入手の留意点
インターネット	速報性	情報発信のスピードが速く，最新の情報を手に入れることができる。	情報の正確性についてよく見極める必要がある。
	情報量の多さと多様性	情報量が多く，扱われる情報が多様である。検索エンジンを活用すれば，目的に応じた情報を手に入れやすくなる。	
	利便性	インターネットが接続できる環境があれば，すぐに情報を収集できる。フォロー機能により，欲しい情報がたまるようにしておくことができる。	
書籍・雑誌	専門性	あるテーマについて専門的に詳しく知りたいときは，効果的に情報を入手できる。	情報の鮮度を見極める必要がある。
白書・統計資料*	信頼性	各府省庁が発表している情報であるため，信頼性が高い。	ある目的のもと行っている調査なので，その目的を理解して資料を見る必要がある。
	継続性	定期的に実施されている調査が多く，1つのテーマについて時系列でデータを把握することができる。	
新聞	公共性	多くの人々に継続的に購読されている。新聞に掲載されている政治，経済，社会，文化などの記事は，社会全体の動きをみるのに便利である。	記事の書き方などに偏りがないかどうかを見極める必要がある。

＊各府省庁のホームページ上で提供されている統計資料を検索する場合は e-Stat を利用するとよい。

2 情報の記録

ふだんから自分の**探究**に活かせそうな情報は記録しておきましょう。記録するときは，そのまま書き写したり，大切なポイントを要約したりします。インターネットの情報であれば，該当箇所をテキストデータとして保存してもよいです。どの資料からの情報かも必ず記録します。

3 情報の整理とフローチャートの作成

ある程度情報が集まったら，具体的な**テーマ**に絞り，**問い**を明確にします。最初の段階では，**現状分析**から導き出した**問い**に無理がないかを確認します。[4] その後は，**フローチャート**(flowchart)をつくってみるとよいでしょう。**問い→現状分析**（**問い**を設定した理由や**課題**の背景）→**課題**を解決するための方策や結論の根拠→結論までが筋道立ててつくれるかを考えてみましょう。[5] 大切なことは，結論とそれを支える根拠が十分であるかということです。不十分な場合はさらに情報を集めたり，自分の考え方に論理的に無理があれば考え直したりするとよいでしょう。

[4] 現状分析から問いを確認

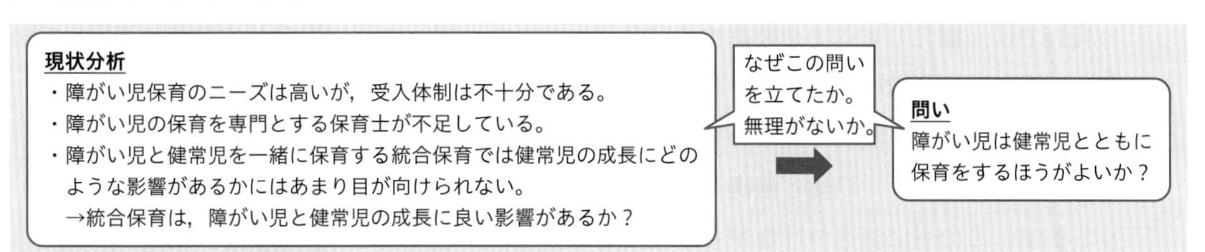

[5] フローチャートで確認

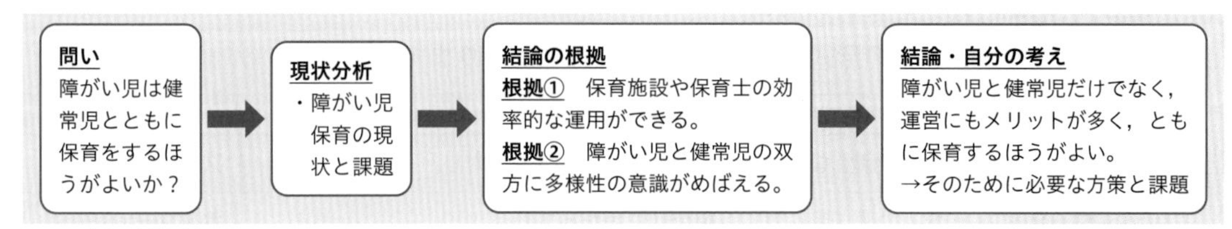

4 参考文献リストの作成

探究の成果は**プレゼンテーション**などで発表したり，**論文**にまとめたりします。➡p.12,13 ➡p.14,15 発表資料や**論文**には，**探究**の参考にした資料を**参考文献リスト**として示す必要があります。**探究**を進めていくと，参考資料が増えて，どの資料から得られた情報かがわからなくなってしまうことがあります。資料を収集しながらリストをつくっておきましょう。

参考文献リストに示す内容は下の表の通りです。[6] **参考文献リスト**には，通し番号をつけましょう。また，デジタルデータでまとめておくと，インターネット上のウェブページに再度アクセスする場合も便利です。

自分が参考にした資料の引用元や参考文献リストから関連資料を探すこともできます。

[6] 情報源ごとの参考文献リストに示す内容の例

情報源	参考文献に示す内容の例
書籍	著者名／書名／出版社／出版年／ページ
雑誌	記者名／記事タイトル／雑誌名／号／出版年／ページ
白書・統計資料	章名・表名／白書名／編者名／出版社／出版年／ページ（URL など　アクセス日）
新聞	記者名／記事タイトル／新聞名／発行年月日，朝夕刊，版，ページ
インターネット	ホームページの開設者／トップページタイトル／ページタイトル／URL ／アクセス日

具体的な参考文献リストの書き方は，p.94～96 に載っています。

Step 3 探究成果のまとめ方1　プレゼンテーション

ここでは，**探究**の成果をまとめる方法の１つである**プレゼンテーション**（presentation）について学習します。

1 プレゼンテーションの目的

探究においての**プレゼンテーション**には，主に次のような目的があります。

- 自分の**探究**の成果を他者に知ってもらう。
- 自分の**探究**で不足している点を指摘してもらったり，⑦ 別の視点を提供してもらったりする。
- 発表の準備の過程で，自分の考えを整理し，学びを深める。

発表では，**探究**のすべてを披露する時間がないので，短い文章や図を用いて簡潔に表現しなければなりません。このとき，他者にわかりやすく説明できない部分は，自分がよく理解していない部分だったり，結論と**根拠**とに整合性がない部分だったりします。この点に気をつけながら準備を進めつつ学びを深めるには，Step2 で学んだ**フローチャート**の作成が有効です。➡p.11

⑦ 自分の探究で不足している点を指摘してもらえる

2 プレゼンテーションの形式

プレゼンテーションの形式には，次のような種類があります。

形式	規模・方法	ツール
一斉形式	教室や講堂などで数十人～数百人の聞き手に対し，一斉に行う。	スライド，映像
ポスター発表	数人の聞き手に対し，複数回にわたって行う。	ポスター

そのほか，発表時間や質疑応答の時間の制限，聞き手に資料を配布するか否かなどの条件の違いがあります。そのため，形式や条件に合わせ，準備を進める必要があります。

3 発表資料のつくり方

プレゼンテーションを行うときは，初めて聞く人にとってわかりやすい内容かどうかを意識する必要があります。では，初めて聞く人にとってわかりやすい発表資料はどのように作成すればよいでしょうか。まず，**問い**から結論までの構成をキーワードと矢印などを用いてまとめます。次に，発表ツールがスライドであれば，１枚のスライドに入れる内容をそれぞれ書き込んでいきます。この時点では，文字だけでも構いません。流れをスムーズにまとめたら，次に見やすく，伝わりやすいスライドをつくっていきます。発表では，耳からの情報と同じように目から入ってくる情報が重要です。見せ方を変えることで，同じ情報がよりわかりやすく，伝わりやすくなります。具体的には，次のような点に注意して発表資料をつくりましょう。

(1) グラフや図を使ってポイントを強調する

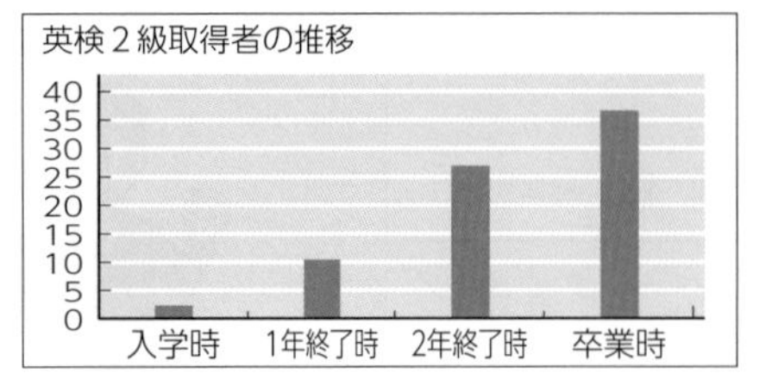

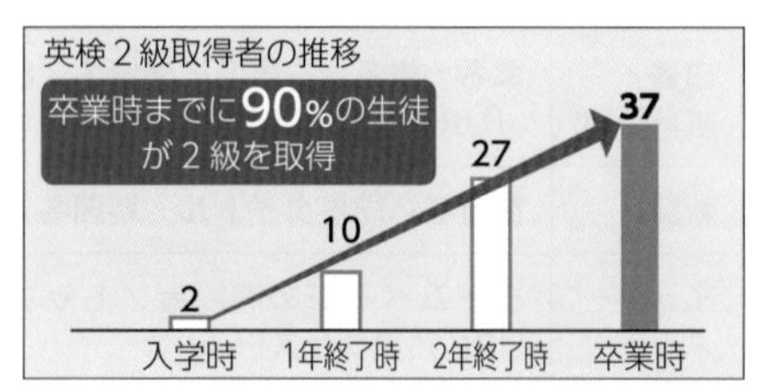

(2) 読みやすいフォントや色を使ってまとめる

出願までの流れ
①オープンキャンパスなどで願書を入手する
②調査書や証明書などの必要書類を準備する
③銀行などで受験料を支払う
④入学志願票を書く
⑤郵便局で簡易書留で郵送する
⑥受験票を受け取る
※時間に余裕をもって準備しよう！

出願までの流れ

注目！
時間に余裕をもって準備しよう！

Step1 願書を入手する
↓
Step2 必要書類を準備する
↓
Step3 受験料を支払う
↓
Step4 入学志願票を書く
↓
Step5 郵送する
↓
Step6 受験票を受け取る

- 使うフォントは，ゴシック体などの読みやすいフォントにする。
- 文字は色や大きさを変えたり，下線を引いたりして強弱をつける。
- 色は全体を通して背景色や文字色を含めて４色程度にする。

(3) 図や写真の大きさをそろえる

Key Point 良い内容の探究でも，伝わらないと評価されない。資料の表現力も大切。

4 効果的な発表の仕方

効果的な発表を行うために，次のポイントを意識してみて下さい。

- 身だしなみを整え，堂々とした姿勢で行う。
- はっきりとした発音で，声に強弱や抑揚をつけて話す。
- 間を取りながら，少しゆっくりと話す。
- 原稿は見ず，聞き手を見てアイコンタクトなども意識する。8
- 全体像や概論を先に説明し，それから詳細を説明する。

事前の準備をしっかりと行い，制限時間内に発表できるように原稿はすべて覚えましょう。質疑応答に備え，想定問答集などもつくりましょう。

8 視線の動かし方

会場が比較的大きな場合，会場全体を「Sの字」「Zの字」で少しずつ視線を動かして見回すと効果的である。

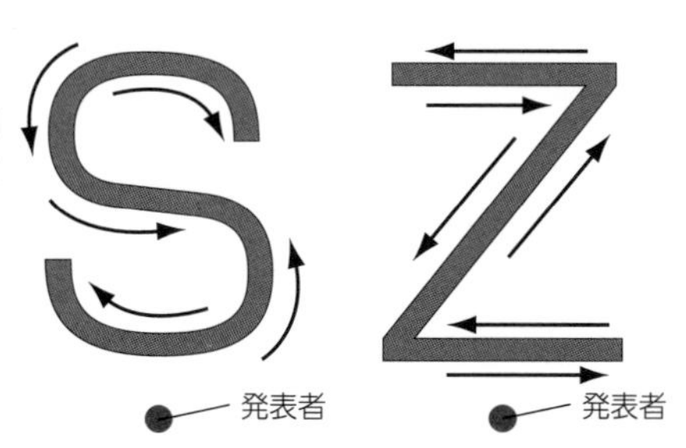

Work ❶ 今まで聞いたプレゼンテーションで良かったものは，どの点が優れていたでしょうか。

Step 3 探究成果のまとめ方２ 論文

ここでは，**探究**の成果をまとめる方法の１つである**論文**について学習します。

1 論文とは

論文とは，自分で立てた**問い**に対する**探究**の成果を論理的にまとめて，自分の主張を展開するものです。**問い**(**論題**)と答え(自分の主張)と，その答えを支える**論拠**が必要です。次のようなものは，**論文**とは言えません。

- 特定の本や論文，ウェブページの内容を要約したもの。
- さまざまな文献から引用したり，要約しただけで，自分の主張がないもの。
- 客観的な根拠がなく自分の思いや考えだけを主張したもの。

ほかの人の研究成果やデータを再構成してまとめることは，自分の**探究**の成果の独自性や主張の**論拠**を示すためにも大切な作業ですが，**論文**はそれだけでは十分ではありません。自分なりの**問い**と答えが必要です。

ウェブページの内容をコピーアンドペーストして，自分の文章のようにする行為は許されません。

Key Point 論文は調べたものの要約ではない。自分で立てた問いと自分の主張，論拠が必要。

2 論文の構成

論文は，大きく**序論**，**本論**，**結論**と**参考文献**で構成されます。

序論	問いと結論，問題の背景，探究の動機，用語の定義，探究内容の概略などを述べる。論文全体の 10% 程度。
本論	現状分析（先行研究の限界や現状の課題），問いを立てた背景，自分の主張の論拠などを述べる。必要に応じて複数の章立てにする。論文全体の 80% 程度。
結論	問いと結論，論拠のまとめ，自分の探究成果の限界や課題などを述べる。論文全体の 10% 程度。
参考文献	参考文献リストをつける。本文に「注」をつけた場合は該当ページの欄外か最後にまとめて記入する。

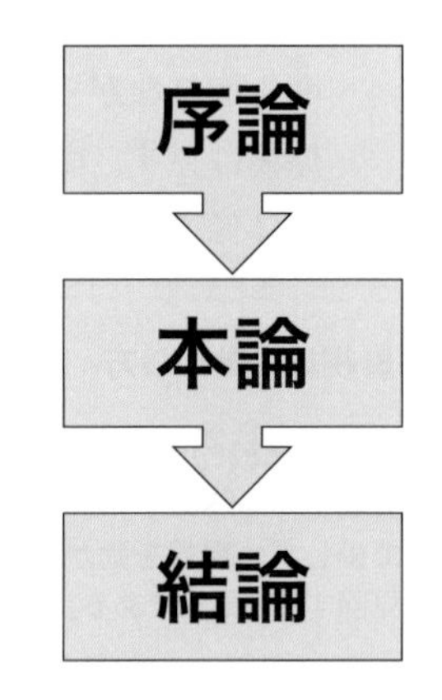

情報を集めて整理したときに作成した**フローチャート**や，**プレゼンテーション**をしたときに作成した発表の流れを参考に，**本論**の章立てを決めていきます。

③ 文章の書き方

論文の文章は，自分の主張を読み手に誤解なく伝えられるよう，わかりやすく簡潔に書きます。初めて自分の主張を読む相手にとってわかりやすいか，という視点が必要です。また，感想文や作文ではないので，自分の思いや感想は書かず，できるだけ客観的で明瞭な文章を心がけます。**問い**に対する自分の主張を支える**論拠**が明確で，つじつまがあっていることが大切です。

プレゼンテーションも論文も「初めての人にもわかりやすく」という視点が大切なんだね！

Key Point 初めて読む人にわかりやすい，客観的で簡潔な文章にする。

論文の文章を書く際のポイントは，上記した内容のほかにも，形式も含めさまざまなものがあります。

論文の文章を書く際のポイント

- 「である調」(常体)にする。「ですます調」(敬体)にはしない。
- 口語体を使わない。(例)×でも⇒○しかし　×だから，なので⇒○よって，したがって
- 「このような」など，何を指しているかが不明確で曖昧な表現はできるだけ避ける。
- 表記を統一する。(例)Web，WEB，ウェブ⇒いずれかの表記に統一する。
- 自分の文章と引用文は明確に区別する。
- 主語を明確にする。
- 1つの文は短めにする。
- 段落の書き出しは1マス空ける。
- 1つの段落が終わるまで，改行しない。

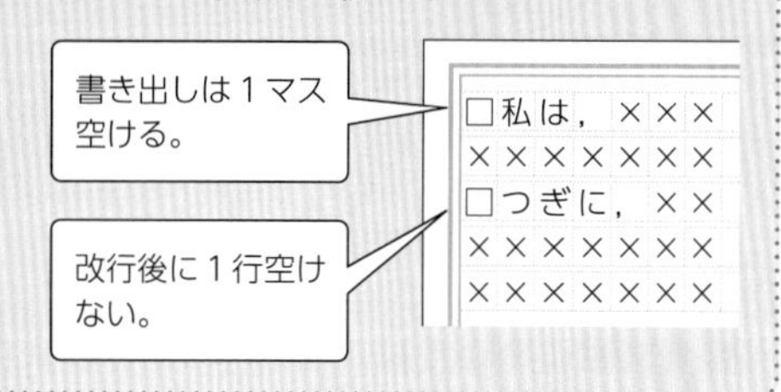

④ 引用の仕方

論文では，自分の文章や自分が調べた調査結果と，ほかの人が書いた文章やまとめたデータ，図，グラフなどを明確に区別しなければなりません。ほかの人が作成したものを引用する場合は，次のルールに従いましょう。

直接引用（引用元の文章をそのまま引用する）の場合

①引用部分が短い場合
引用部分を「　」で囲み，その後に引用元を(　)で明記する。(　)内には，著者の姓，出版年，ページ数を示す。(例)(山田，20××年，p.24)
②引用部分が長い場合
引用部分の前後を1行ずつ空けて本文と区別し，引用部分全体を2文字程度字下げする。引用元も(　)で明記する。

間接引用の場合

引用元の内容を自分で要約する場合も，引用元の文意が変わらないように注意し，引用していることがわかるようにする。
(例)著者の山田は，……(要約)……と述べている（引用元）。

図や表を引用する場合

・図や表の前後は1行空ける。

・図や表には通し番号とタイトルをつけ，図の場合は図の下に，表の場合は表の上に明記する。引用元も記す。

1行空ける

図1　1980年の教室「○○高校100年史」より引用

1行空ける

1行空ける

表1　上場企業の役員に占める女性の割合の推移

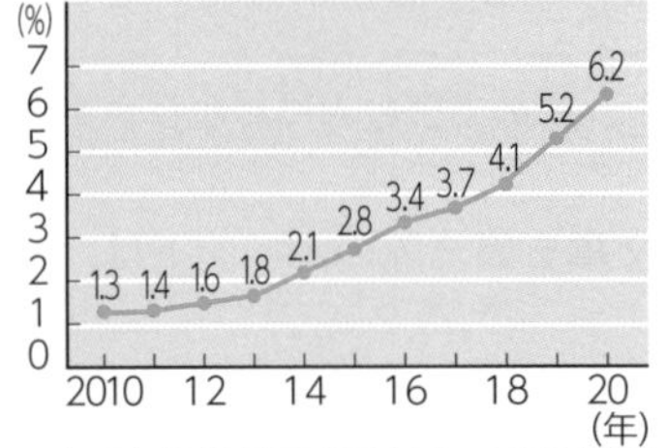

※内閣府「男女共同参画白書　令和3年版」(2021年)より作成。

1行空ける

5 論文の形式

論文には表紙をつけ，**テーマ**や氏名などを書きます。目次は**論文**を書き終わった後に作成し，表紙の次につけます。**論文**の量にもよりますが，章が長くなってしまう場合は，章を節に分けて読みやすくします。[9]

参考文献については，p.94～96の形式に沿って示します。なお，注については該当ページの欄外に示すか，結論の後，**参考文献**の前に示します。[10]

9 表紙，目次，章・節の分け方の例

(表紙)

テーマ

障がい児と健常児は共に保育するべきか

統合保育の課題と未来への提言

○年○組○番　　○○　○郎

目次

第1章　序論・・・・・・・・・・・・1
第2章　現状分析・・・・・・・・・・2
第3章　保育体制の課題・・・・・・4
　第1節　設備と保育者の配分・・・4
　第2節　専門保育者の養成・・・6
第4章　乳幼児の成長への影響・・・8
　第1節　障がい児の成長・・・・・8
　第2節　健常児の成長・・・・・・10
第5章　統合保育への提言・・・・・12
第6章　結論・・・・・・・・・・・15
参考文献・・・・・・・・・・・・・17

第3章　保育体制の課題
第1節　設備と保育者の配分
□保育施設で障がい児を受け入れる際に課題となる・・・・・・・・・・・・・・・・・・・・・・・・・・・・・・
(節と節の間は1行空ける)
第2節　専門保育者の養成
□次に障がい児保育の専門保育者の養成について・・・・・・・・・・・・
(章と章の間は2行空けるか改ページをする。)
第4章　乳幼児の成長への影響

1字下げる

10 注の示し方の例

障がい児保育専門の保育士を常勤で配置している保育園の数[1]は・・・・・・・・・・↵
・・・・・・・・・・・・・・・・・・・・・・・・・・・・・・・・・・

[1]田中○○「保育所の実態調査」2018年

小論文

1 論文と小論文

第２章では，**探究**の成果をまとめる方法として**論文**の書き方について学習しましたが，大学の入学試験などで出題される**小論文**と**論文**の違いは次のようにまとめることができます。

論文	自分で立てた問いに対する答えを，客観的な事実や先行研究などに基づき主張する。 字数制限がない。締切はあるが時間制限はない。
小論文	与えられた問いに対し，自分の意見や考えを自分の経験や知識，与えられた文章やデータなどに基づき主張する。 400〜1,600字などの字数制限がある。 入学試験など，時間制限があるなかで書く。

論文と**小論文**は，自分の主張の裏付けとなる**論拠**を積み上げ，論理的に説明していくという点が共通しています。しかし，**論文**での**論拠**は，調べて判明した客観的な事実や，先行研究で行われた実験などで明らかになった事実に基づいているのに対し，**小論文**での**論拠**は自分の持っている経験や知識，出題文に示されたデータに基づいている点で異なっています。つまり，**小論文**で「私は○○について賛成だ。なぜなら○○は△△の点で有用だからだ。」と書く場合，「△△の点で有用だ」という理由については，自分の知識や経験，出題文に示されたデータなどを**論拠**に主張することになります。そのため，ふだんからさまざまな分野に関する事柄に関心を持ったり，授業を真剣に聞いたりして，知識を広げ，自分の意見を持つ姿勢が大切になります。

2 小論文の取り組み方

小論文には，次の手順で取り組みます。

①何が問われているかを確認する。
②与えられた資料を読み，要点をおさえる。
③自分の主張とそれを支える理由を考える。
④文章の構成を考え，メモでまとめる。
⑤文章を書く。
⑥全体を見直す。

特に大切なのは，何が問われているかを確認し，それにきちんと答える文章を考えることです。そのためにも，いきなり文章を書きだすのではなく，構想をまとめてから書き始めるとよいでしょう。

また，**小論文**の設問では，与えられた文章を**要約**し300字や400字にまとめるものもあります。**要約**の場合は，自分の考えなどは入れてはいけません。

3 小論文で問われている力

小論文で問われている力は，主に次の４つです。

理解力	設問や資料の主旨を読み取れているか。 NG：設問にきちんと答えていない，資料が読み取れない。
発想力・思考力	問いに対して自分なりの答えを柔軟に導くことができているか。 NG：資料の主張をなぞるだけ。
論理性	自分の意見や理由を筋道立てて説明することができているか。 NG：意見と理由がかみ合っていない。説得力がない。
表現力	相手に伝わるように正しい文章で表現できているか。 NG：誤字脱字がある。日本語の表現として間違っている。

4 小論文の書き方のルール

小論文の書き方のルールは**論文**のルールと基本的には同じです。短い文章でも，**序論**・**本論**・**結論**でまとめます。また，予想される反論についても織り込んで，自分の考えの優位性や反論の欠点などを指摘できると説得力がさらに増します。その他の注意点としては，次のような点があります。

・字数は規定の９割以上で書く。
・誤字脱字は絶対にしない。
・丁寧な文字で書く。
・原稿用紙の使い方のルールを守る。

●文末の句読点や「 」は最後のマスに入れる。

な	い。

●算用数字やアルファベットは１マスに２字ずつ入れる。

20	21	年

SD	Gs

コラム…❷

グループワークのヒント

1 グループワークのメリット

探究はグループで行うこともあります。**探究**の進め方は基本的に個人の場合と変わりませんが，次のようなメリットがあります。

- 多様な発想で，**課題**に取り組める。
- 独りよがりにならず，客観的に**課題**に取り組める。
- 分担して行うことで効率的に**探究**が進められる。
- 協働作業をするなかで，自分の意見を伝える力や，他者の意見を取り入れる力がつく。

他方で，特定の人に作業が集中してしまい，何もやらない人がでてくる可能性もあります。**グループワーク**に取り組む際には，自分にできることを積極的にみつけていく姿勢や，楽しんで取り組む雰囲気づくりが必要です。

2 話し合いの進め方

グループワークでは，それぞれが意見を出し，グループの意見としてまとめる作業が必要です。話し合いの注意点としては次の点が挙げられます。

- 話し合いのゴールを明確にする。
- 進行役を決めて，議論を整理する。
- 全員が発言するようにする。
- 発言は最後まで聞くようにする。
- 反対意見や疑問を積極的に受け入れる。
- 記録を残して全員で共有する。

話し合いは**探究**のいろいろな場面で行われます。多くのアイディアを出したい場合は他者の意見を否定しない方法が適切ですが，いつもそれが有効とは限りません。意見やアイディアに対する批判をすることで**探究**の精度は上がっていきます。言い方などに気をつける必要はありますが，批判や疑問を出すこと，それを受け入れてよりよくしていくことが大切です。

3 共同作業ツールの活用

グループワークのメリットの１つは作業を分担できることです。各自の得意分野やバランスをみて分担を考えましょう。その際には，共同作業ができるオンラインツールの活用も考えましょう。

たとえばGoogleのJamboard[1]はアイディアを出す話し合いに活用できます。紙の付箋に比べ，書き直しや削除が簡単にできる点やデータを残せる点で有用です。**フローチャート**の作成にも役立ちます。また，GoogleスライドやGoogleドキュメントでは，発表資料や**論文**の作成なども共同で行うことができます。

[1] Jamboard

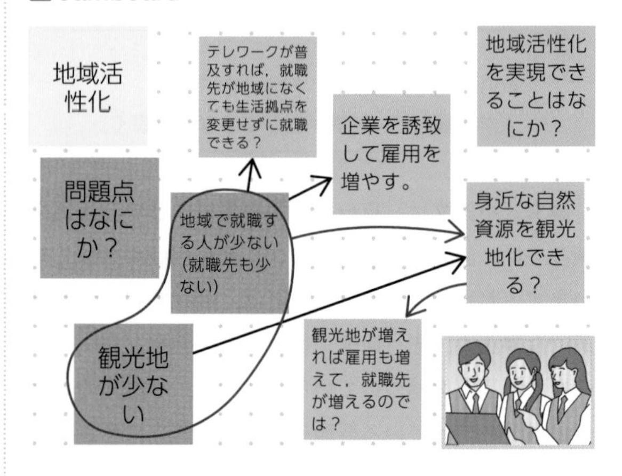

4 まとめ方

グループワークで発表資料や**論文**をつくる場合はどうしても表現の仕方に個人差が出てしまいます。また，事前に打ち合わせをしても，つなぎの部分でうまくいかない場合もあります。そのため，それぞれが作業して出てきたものについては，全体の統一感を出すために調整する必要があります。一人が全体を調整し，さらにそれを別の人が確認するようにします。

グループで発表する場合は，一人が代表して発表しても，分担しても構いませんが，あまり頻繁に発表者が変わると聞き手は集中できません。複数で行う場合は，十分に練習をしましょう。

グループワークでは特定の人に作業が集中しないように，それぞれの得意分野を活かした分担をしよう。

文献以外の情報収集の方法

本やウェブページからでは自分の**探究**に必要な情報が得られない場合や，専門家にアドバイスをもらいたい場合には，**インタビュー**をしたり，実際に現地を訪れたり，**アンケート**を実施したりすることもできます。

1 インタビュー

インタビューをする場合には，次の手順で行います。

① 質問内容・インタビュー相手を決める

・自分で調べられることは調べて，さらに知りたいことを質問事項とする。
・**探究**が進んだ段階では，自分の主張や提案の実行可能性などについて具体的に聞いてもよい。

② インタビューを申し込む（電話・メール）

・学校名，氏名，**探究**の主旨，希望日時，大まかな質問内容などを伝え，了承をとる。
・相手の貴重な時間を割いてもらうことを意識する。
・訪問日時は一度で決まらないこともあるので，時間に余裕を持って申し込みをする。
・担当の先生に必ず許可を得て，報告をする。

③ インタビューをする

・約束の5分前には訪問場所に着くようにする。
・挨拶や自己紹介をして，**探究**の主旨を伝える。
・質問事項はまとめておき，メモをとる。
・ビデオや写真などは許可を得て撮るようにする。
・わからないことは率直に尋ねる。
・写真や個人情報などの掲載許可をとる。
・お礼の挨拶をする。

④ お礼の手紙（メール）を出す

・**インタビュー**当日か，翌日にはお礼の手紙（メール）を出す。

⑤ インタビュー内容をまとめる

・**インタビュー**でわかったことは，すぐにまとめる。

⑥ インタビュー相手に探究の報告をする

・発表が終わった後や，**論文**が完成した後に**探究**の成果を手紙やメールで報告し，改めてお礼をする。

2 現地調査

探究の**テーマ**によっては，実際に現地を訪れて見学したり，観察したりすることが必要です。その場合も，**インタビュー**と同様に，事前の準備が大切です。施設によっては**アポイント**（**訪問予約**）も必要であり，事前に訪問を伝えておけば，施設の方に**インタビュー**できる場合もあります。ビデオや写真の撮影は必ず許可をとり，挨拶やお礼をしっかりしましょう。

3 アンケート

アンケートの結果は，集団の傾向を示し，自分の主張を支える根拠となるデータを提供してくれます。ただし，目的や実施計画が曖昧だと意味のない調査になってしまうこともあります。**アンケート**を実施する場合は本当に必要な調査かを考え，計画的に行いましょう。**アンケート**は，次の手順で行います。

① 目的と知りたい内容を明確にする

② アンケート対象者と目標数を決める

・目的に合わせ，**アンケート**の対象者を決める。身近な人が対象の**アンケート**だと，同じ高校に通う高校生ばかりのデータしか得られない。
・調査内容によるが目標数は100以上が望ましい。

③ 質問内容・選択肢を決める

・答えやすく，質問の量は少なく，答え方が簡単なもの，数値で答えられるものにする。
・選択肢は，漏れがなく，必ずどれかにあてはまるような項目にする。
・事前に予備調査を行い，答えにくい選択肢がないかを確認するとよい。

④ 調査用紙やフォームを作成する

・調査用紙には，調査の目的，調査者名，協力のお願いなどを記載する。
・紙ではなく，Google フォームなどで作成し，URLや二次元コードに変換したものを提示すると集計も自動的にできるので便利である。

⑤ アンケートを実施する

⑥ 集計して，分析する

・選択肢を数値にしておくと，集計がしやすい。

第3章 SDGs・地域活性化と探究

この章では，探究のテーマをみつけるうえで注目すべきトピックである**SDGs**と**地域活性化**について学習しましょう。

1 SDGsと探究

SDGsは，世界中の国際機関，政府，企業などの組織とともに私たち一人ひとりが取り組むべき目標です[1]。**探究**を通じて**SDGs**を学ぶことにより，みなさんと社会がどのように関わっているかについて深く知ることができます。

1 SDGsとは

SDGsは，「Sustainable Development Goals（持続可能な開発目標）」の略称です。2015年9月の国連サミットで採択された「持続可能な開発[2]のための2030アジェンダ」に記載されています。2016年から2030年までに達成を目指す17の目標と169のターゲットから構成され，国連に加盟する全193か国（2022年5月時点）が達成を目指しています。

[1] SDGsの目標

[2] 持続可能な開発の三要素

環境保護	経済開発	社会的包摂
環境を守っていくこと	経済活動を通じて富や価値を生み出していくこと	社会的に弱い立場の人への配慮を含め，人権を尊重すること

「持続可能な開発」とは，「将来の世代の欲求を満たしつつ，現在の世代の欲求も満足させられるような開発」です。具体的には左の3つの要素を考慮します。

2 SDGsと企業の取り組み

SDGsの17の目標は2030年の世界のあるべき姿を表しており，多くの企業が目標達成に向けて取り組んでいます。目標達成に向けた企業の取り組み事例は次のとおりです。

目標	取り組み事例
1	株式会社ジモティー…「地元の掲示板ジモティー」において，地域の不用品の譲り合いができるサービスを開発。そのサービスで日本のひとり親世帯の約半分（約65万世帯）の利用が確認されたため，協賛企業からの支援物資を掲載し，ひとり親家庭優先の受け渡し会を開催しています。
2	キリンホールディングス株式会社…国際的な非営利団体であるレインフォレスト・アライアンスと協力して，スリランカの紅茶農園の人たちに対して，持続可能な農業をしていくために必要な知識や方法に関するトレーニングをしています。
3	日本電気株式会社…長崎大学とともに発展途上国における母子保健活動の促進と予防接種の普及活動を行っています。
4	パナソニック株式会社…「無電化地域」にソーラーランタンを寄贈し，成人のための識字教室（文字の読み書きができない人に対して読み書きを教える教室）で使用できるようにしています。
5	株式会社Kanatta…SDGsのテーマに沿ったイベントを定期的に開催し，女性が中心となって集まるコミュニティを運営しています。
6	株式会社JTECT…慢性的な水不足が続く地域や，災害時に急に水の供給が止まった地域に，空気から水をつくる飲料水生成機によって飲料水の提供をしています。
7	株式会社未来電力…クリーンな再生可能エネルギーによるバイオガス発電事業に取り組んでいます。
8	日本郵政株式会社…さまざまな研修による人材育成，多様な働き方支援のための環境整備によるワーク・ライフ・バランスの推進，積極的なダイバーシティの推進を行っています。
9	ヤフー株式会社…安心安全な情報技術社会の実現のために，パスワードを使用しないパスワードレスログインの普及を推進し，不正ログインを防ぐ取り組みを進めています。
10	三承工業株式会社…住宅ローンや土地の購入を断られるケースが少なくない外国籍の住民に対して，マイホーム取得の支援を行っています。
11	積水化学グループ…埼玉県朝霞市にサッカーコート10面分の広さのまちをつくり，「安心・安全で環境にやさしく，サステナブル（持続可能）なまち」の実現を追求しています。
12	株式会社永谷園ホールディングス…環境負荷低減のために資源の効率的な利用と廃棄物のリサイクルを行っています。特に，食品ロスの削減を重視し，賞味期限の延長や，需要予測の精度向上による流通在庫減や欠品防止に取り組んでいます。
13	キユーピー株式会社…CO_2排出量削減のため，調達，生産，物流，販売，オフィスの各段階において，省エネルギーやエネルギー転換などに積極的に取り組んでいます。
14	マルハニチロ株式会社…魚を身近に感じる機会を増やしてもらうために，ウェブマガジンサイト「海といのちの未来をつくる」を開設し，社会に向けて情報を発信しています。
15	UCCホールディングス株式会社…経済的な豊かさと森林環境の保護を両立するためのプロジェクトに参加し，コーヒーの生産国とともに活動しています。
16	株式会社マーケットエンタープライズ…捜査機関・公的機関との連携により，違法な取引を減少させ，犯罪の根絶に貢献しています。
17	雪印メグミルク株式会社…北海道と包括連携協定を締結し，酪農振興に貢献するとともに，乳製品製造で培った技術を活かし，さまざまな分野で北海道の経済活性化へ寄与しています。

SDGsの達成は，企業だけでなく個人の貢献も必要です。みなさん一人ひとりが関心のある分野でどのように貢献するかを**探究**することが，持続可能な社会の実現につながります。

2 地域活性化と探究

ここでは，地域の現状と**地域活性化**の具体的な目標，**地域活性化**の実現に求められる人材，地域の見どころなどについて学習しましょう。

1 地域の現状

みなさんは，出生数や人口の減少に関するニュースを見たことがありますか。近年，一部の都県の人口は増加していますが，ほかの多くの道府県は人口が減少しています。[3] さらに，2020年から始まった**新型コロナウイルス感染症** COVID-19 の流行は人の動きを変化させました。たとえば，**テレワーク** telework の普及の影響から，人口の増加が続いていた東京都に移り住む人の数が一時減少しました。さて，地域の**人口減少**は，地域にどのような影響を及ぼすでしょうか。たとえば，働く人が減ることは，その地域で賃金を得る人が減ることを意味します。すると，その地域で買い物する人が減り，買い物する金額は少なくなります。買い物する金額が少なくなると，その地域の店は利益を出すことが難しくなり，撤退する店が出てくるかもしれません。そして，その地域に住む人たちは欲しい商品を購入できなくなります。また，税収の減少により，これまでと同じ水準の行政サービス，たとえば公共施設の設置・運営や上下水道の整備，ごみ処理，各種補助金などを享受できなくなるかもしれません。このように**人口減少**は，地域に与える影響が大きいため，近年地域が直面する重大な課題の1つとなっているのです。

[3] 各都道府県の人口増減数（人）

都道府県	2015年	2020年	人口増減
東　京	13,515,271	14,047,594	532,323
神奈川	9,126,214	9,237,337	111,123
埼　玉	7,266,534	7,344,765	78,231
千　葉	6,222,666	6,284,480	61,814
愛　知	7,483,128	7,542,415	59,287
沖　縄	1,433,566	1,467,480	33,914
福　岡	5,101,556	5,135,214	33,658
滋　賀	1,412,916	1,413,610	694
～			
福　島	1,914,039	1,833,152	-80,887
新　潟	2,304,264	2,201,272	-102,992
北海道	5,381,733	5,224,614	-157,119

※総務省「統計ダッシュボード」より作成。

2 地域活性化の具体的な目標

上で述べたような現状などから，それぞれの地域において，**地域活性化**が求められるようになっています。**地域活性化**とは，地域の経済や社会の活力を高める取り組みです。**地域活性化**の具体的な目標は，地域に住む人口（**定住人口**）や地域と関わる人口（**関係人口**）の増加，企業誘致による税収増加，地域に暮らす人々の幸福度の向上などさまざまです。その地域にあった**地域活性化**を考え，どのように実行していくかが重要です。

Work ❶ 身近な市区町村のここ数年の人口増減を調べてみよう。

③ 地域活性化の実現に求められる人材

地域活性化の実現においては，「客観性」「勢い」「発想力」という３つの要素を持った人材[4]が求められます。ただし，一人で３つの要素を兼ね備える必要はありません。一人ひとりが補い合って３つの要素を満たすようなチームをつくることが必要なのです。

5 [4] 地域活性化に必要な人材の特徴

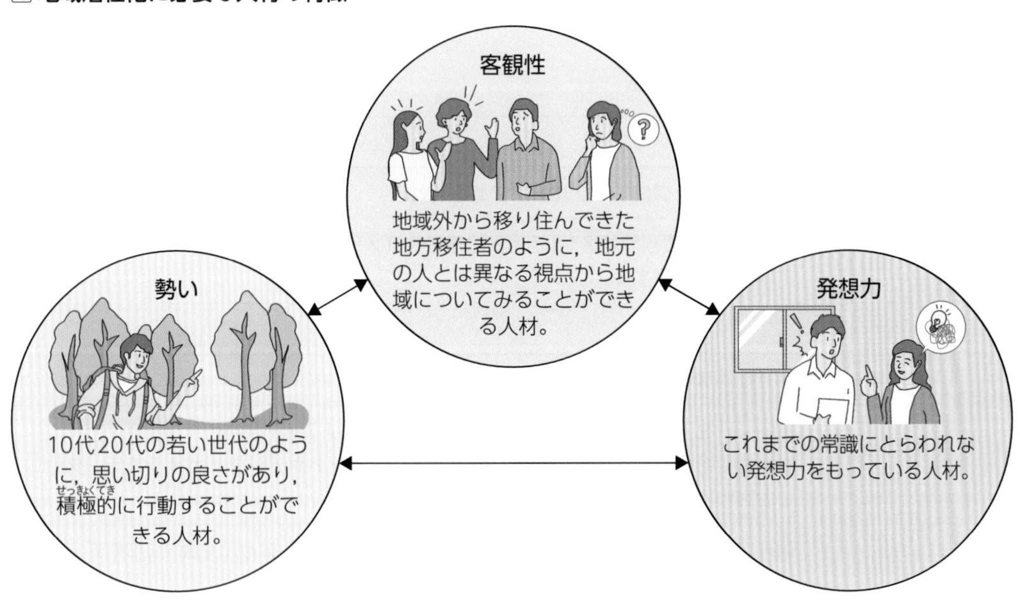

④ 地域活性化のための探究

もし，みなさんが，**探究**において自分の住んでいる地域の活性化を**テーマ**に選んだ場合，どのように取り組めばよいでしょうか。下図[5]はそのプロセスの一例です。

[5] 地域活性化のための探究のプロセス例

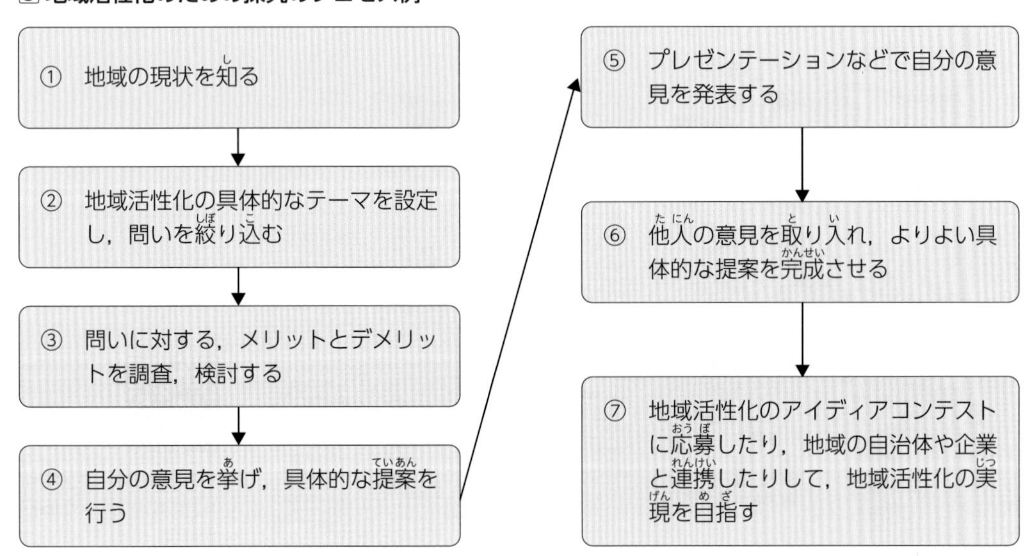

5 「高校生がつくる日本地図」

地域の魅力を発見することは，**地域活性化**の実現のための第一歩です。実教出版では，日本全国各地の高校生がつくる地図を集めたウェブページ「**高校生がつくる日本地図**」を開設しています。[6] 自分に身近な地域の見どころを描いた地図を日本のあらゆる地域から集めることで，魅力的な日本地図をつくることを目指しています。**地域活性化**のために，地域の魅力を発信してみませんか。

[6]「高校生がつくる日本地図」応募方法

期間について	年間を通じていつでも
参加条件について	高校生だけで構成するグループであること
手順	「学校名」「担当教諭名」「担当教諭連絡先（メールアドレス）」などを明記のうえ，応募作品を送付する。
応募作品について	
統一テーマ	身近な地域の見どころを紹介する地図
形式	電子データ（形式は PDF または jpg，データ容量は 2MB 以内） ※手書きの作品や模造紙に作成した作品は，スキャナやデジタルカメラでデータ化してお送りください。
作成方法	原則自由（手書き，ソフトウェアによる作成，貼り込みなど，平面で PDF データに変換できるものなら何でも構いません）
記載情報	ウェブページへの掲載にあたり，応募フォームの項目に沿って各情報をお知らせください。(以下の情報は，作品とともにウェブページに掲載いたします。) 【必須】・タイトル　・都道府県　・学校名 【任意】・学年／クラス　・グループ名　・メッセージ
送付方法	実教出版ウェブサイトの応募フォームから送信

⬆実教出版ウェブサイト「高校生がつくる日本地図」

6 地域の見どころと観光資源

地域の見どころは，地域にとっては観光地としての魅力を高めるものであり，**観光資源**とも呼ばれます。**観光資源**は，主に自然の力によって成立した**自然資源**と人の活動によって成立した**人文資源**に分類することができます。7

あなたの身近な地域には，どんな観光資源があるか考えてみましょう。

7 さまざまな観光資源

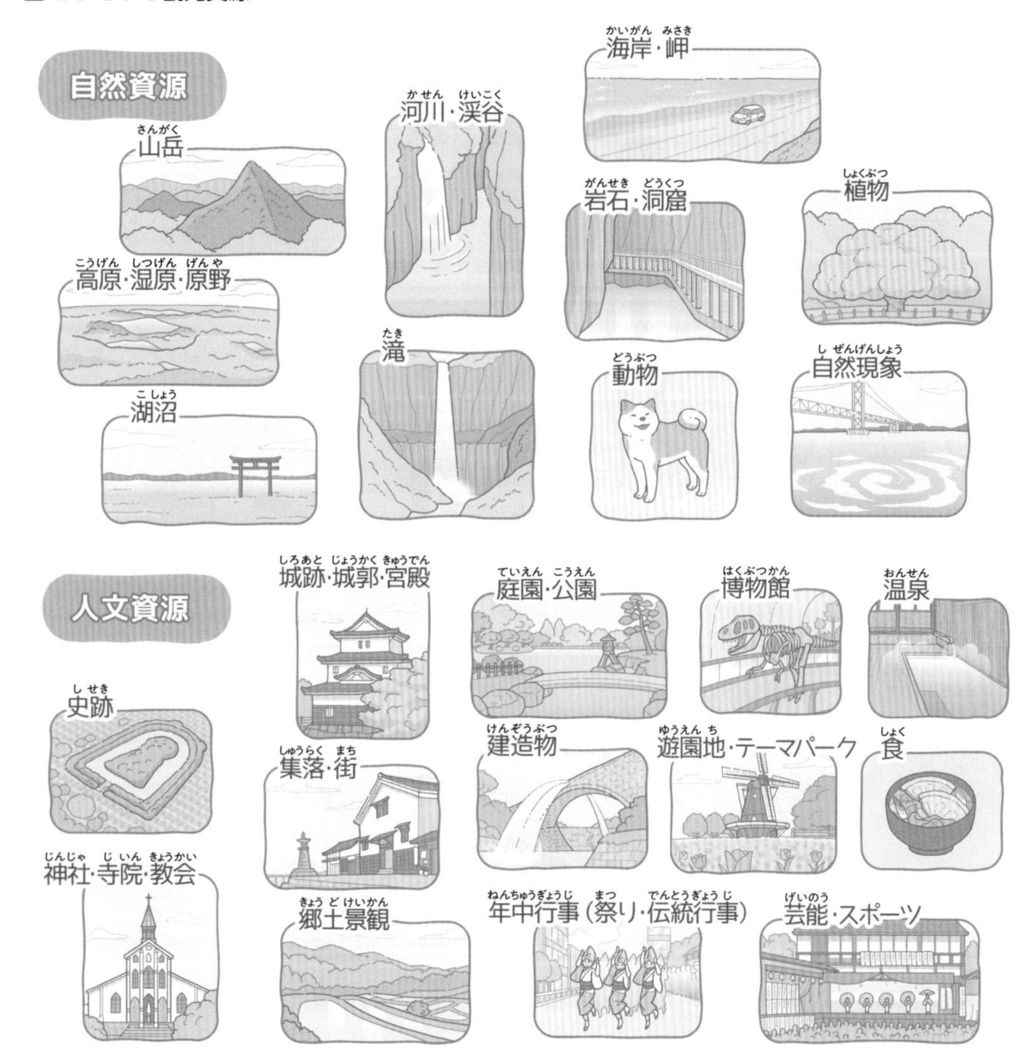

次の章（第4章「事例」）では，最新時事を題材にした16の事例を掲載しています。Workに取り組みながら，あなた自身の探究テーマをみつけましょう。

Case 事例 1 「新型コロナ」で働き方はどう変わる?

テーマワード➡ **新しい働き方**

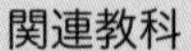

関連教科

公民　家庭　国語　保健体育　商業

SDGs の目標

Work 事例を読んで，気になった箇所にマーカーや下線を引こう。

新型コロナウイルス感染症(COVID-19)の流行により，働き方が大きく変わりつつあります。**新しい働き方**はどのようなものになるのでしょうか。

1 テレワークの普及

新型コロナウイルス感染症の流行で，密接・密集・密閉の3つの密(**3密**)を避ける[1]ために，**ニューノーマル**(new normal)と呼ばれる新しい生活様式が根づきつつあります。そして，働き方にもニューノーマルが生まれつつあります。たとえば，多くの企業で積極的に**テレワーク**(telework)が導入されるようになりました。テレワークとは，パソコンやモバイル端末など，ICTを活用した時間や場所を有効に活用できる柔軟な働き方のことです。

[1] 3密の避け方

マスクなしの会話×
大声での会話×

大人数で集まる×
近距離で会話×

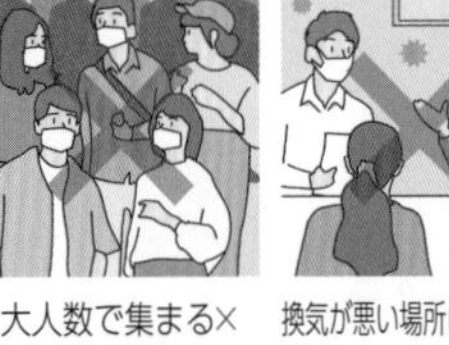

換気が悪い場所に集まる×
狭い場所に集まる×

⬆2020年の「ユーキャン新語・流行語大賞」では「3密」が年間大賞を受賞した。

テレワークの普及により，駅，カフェ，シェアオフィスなど，自宅や会社以外で仕事ができる場所が求められるようになりました。今，このようなニーズに対応した場所が街中で増えています。

JR東日本は，電車の待ち時間や移動時間を有効に活用してもらうために，STATION WORKというシェアオフィスサービスを展開しています。STATION WORKでは，駅構内を中心に，個室ブース[2]，半個室，オープンスペース，駅近くのホテルと提携したシェアオフィスなどが提供されています。**スターバックスの**CIRCLES銀座店では，複数人で会議や商談ができる席と，一人で仕事に集中する席が併設されており，オンライン会議が快適にできる半個室のブース席[3]も設置されています。⇒ Work ❶

⬆[2] 個室ブース型シェアオフィス

⬆[3] スターバックスのCIRCLES銀座店の半個室のブース席

2 アフターコロナの新しい働き方

政府統計では，テレワークのメリット[4]として「通勤負担の解消・軽減」「時間が有効活用できる」などが上位に挙げられています。テレワークなどを利用していない勤務者と比較すると，テレワークなどの経験者は家族と過ごす時間が増えています。通勤時間の減少で生まれた時間は，趣味や休養，家族と過ごす時間などに使われる傾向にあります。

新型コロナウイルス感染症が世界的に流行した後（**アフターコロナ**❶）に，より注目を集めるようになったのが**ワーク・ライフ・バランス**（work-life balance）という考え方です。ワーク・ライフ・バランスとは，仕事と私生活を調和させることで好循環を生み出し，仕事と私生活の双方を充実させる働き方・生き方のことです。「仕事ばかりを優先すること」や「私生活ばかりを優先すること」は，ワーク・ライフ・バランスではありません。

新型コロナウイルス感染症の流行をきっかけに，これまでの仕事中心の生活を見直す動きが広がっています。富士通は2020年7月から，働き方改革として社員の業務内容やライフスタイルに合わせて，働く場所を柔軟に変更できる制度の整備を進めています。たとえば，テレワークと出張で業務に対応できる単身赴任者は，自宅勤務へ切り替えることが可能になりました。育児や介護など，家庭の事情に応じて遠隔地からの勤務も認められています。

[4] テレワークのメリット

Q. テレワークをして良かった点は？

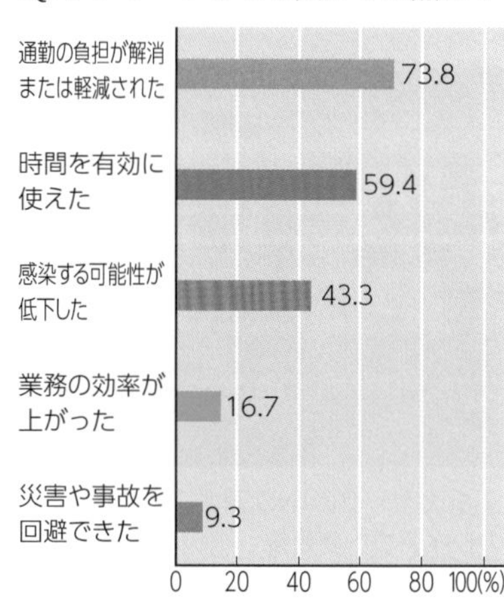

※国土交通省「令和2年度テレワーク実態調査」より作成。回答抜粋。

❶「～の後」を意味するpostを使用した「ポストコロナ」は，「アフターコロナ」とほぼ同じ意味の言葉です。新型コロナウイルス感染症との「共存・共生」というニュアンスを強調する場合は「ウィズコロナ」という言葉が使用されることもあります。

5 テレワークのデメリット

Q. テレワークをして悪かった点は？

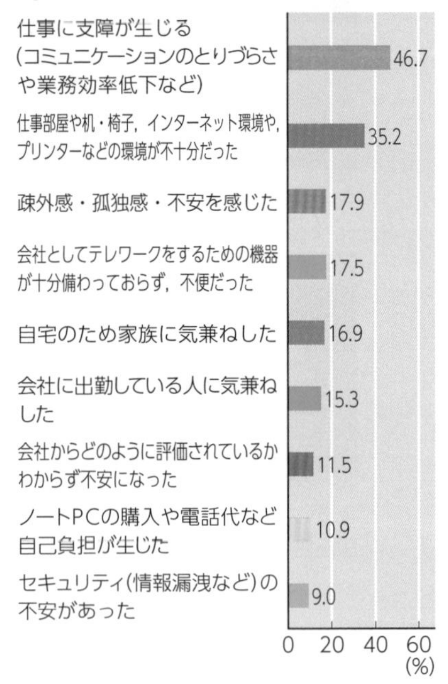

※国土交通省「令和２年度テレワーク実態調査」より作成。回答抜粋。

⬆6 カヤックの「NO 密オフィス」オフィスのレイアウト変更後
撮影日：2020 年 6 月 1 日

社長のおごり自販機
PRESIDENT'S VENDING MACHINE

⬆➡7 社長のおごり自販機のロゴ（上）と PR MOVIE（右）

また，テレワークの活用を前提とした地方への移住を検討する人が増えています。２つの地域に拠点をもち，行き来しながら生活をする**二拠点生活**（**デュアルライフ** dual life）を希望する人も増えています。⇒ Work❷

3 新しい働き方の課題

全国的にテレワークをする人や時間は増えていますが，テレワークの実施率は業種，従業員数，雇用形態によって格差が生まれています。政府統計によれば，業種別の実施率は，情報通信業が最も高く，医療・福祉や宿泊業や飲食業が低くなっています。また，従業員数の規模が大きくなるほど，非正規雇用よりも正規雇用のほうが，テレワークの実施率が高くなる傾向にあります。

また，政府統計では，テレワークのデメリット[5]として「コミュニケーションのとりづらさや業務効率の低下」「仕事をする環境や設備が不十分」などが挙げられています。テレワークが普及することによって，従業員同士のコミュニケーションの頻度が低くなり，ストレスを抱える従業員が増えています。こうした状況のなか，会社に出社することのメリットが見直されています。IT 企業の**カヤック**は，３密を回避した「NO 密オフィス[6]」を設計し，「出社したくなる」職場づくりに力を入れています。ここでは「人と会うこと」に価値が置かれています。

社内でのコミュニケーションを活性化させることを目的とした企業向けのサービスもあります。**サントリー**が展開する「**社長のおごり自販機**[7]」では，自販機設置先の社員２人が自販機に社員証を同時にタッチすると飲み物が無料でもらえます。自販機をきっかけに社内で雑談を増やすことがこのサービスの狙いです。⇒ Work❸

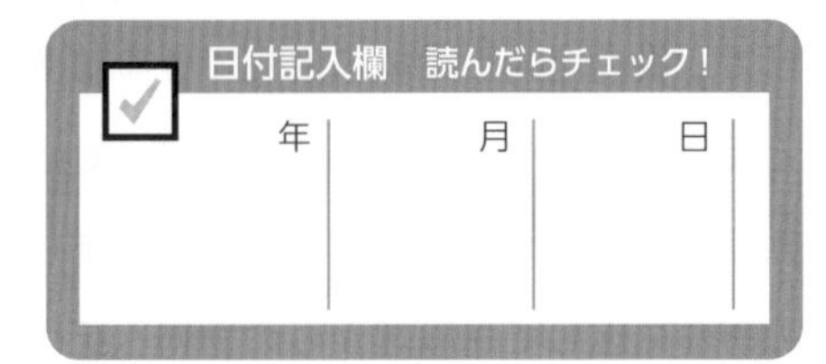

Key Word

□新型コロナウイルス感染症　□新しい働き方　□3 密　□ニューノーマル　□テレワーク　□アフターコロナ　□ワーク・ライフ・バランス　□二拠点生活　□デュアルライフ

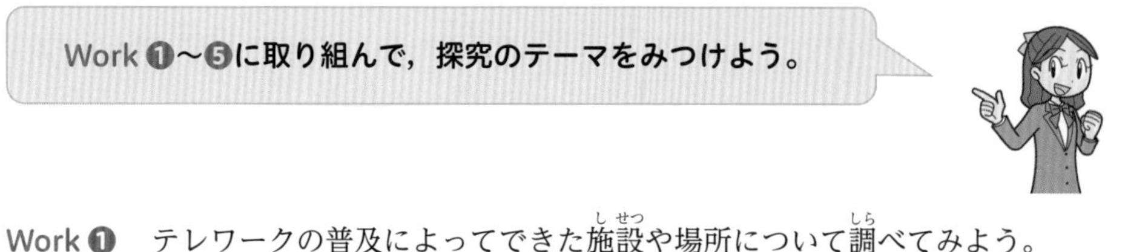

Work ❶ テレワークの普及によってできた施設や場所について調べてみよう。

Work ❷ 本文で挙げた事例のほかに，ワーク・ライフ・バランスに配慮したアフターコロナの新しい働き方の事例を調べてみよう。

Work ❸ 自分が働く場合，従来の働き方とテレワークなどの新しい働き方のどちらがよいか，理由とともに考えてみよう。

Work ❹ 事例について，気になったこととその理由を書いてみよう。

Work ❺ 「新しい働き方」について，詳しく調べてみたいことを書き出してみよう。

応用 Work

- 「新しい働き方」の種類や方法についていくつか調べ，それぞれの長所と短所をまとめて発表しよう。また，今後はどのような働き方が望ましくなるか，自分の意見をまとめて発表しよう。
  プレゼンテーション
- p.27 4テレワークのメリット，p.28 5テレワークのデメリットの資料をもとに，テレワークに賛成か反対かを明らかにしたうえで，その理由を 400 字以内で述べてください。 小論文

Case
事例 2　歴史のなかの「新型コロナ・パンデミック」

テーマワード➡ パンデミック

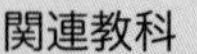

関連教科

地理歴史　公民　理科　家庭　国語　保健体育　商業　看護

SDGs の目標

感染症はどうしてひろがるの？

食事や性交渉による感染は予防法もある

人から人への感染

感染を媒介する生き物は，蚊，ノミ，シラミ，犬，猫，コウモリなどさまざまである

生き物が媒介する感染

加工・加熱した食品からひろがる感染症もある

食品による感染

水回りを清潔にすることが，感染対策になる

水が媒介する感染

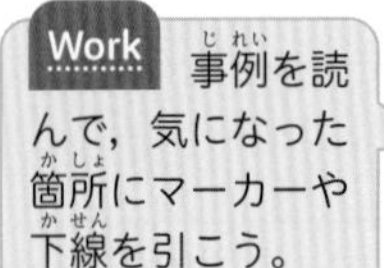

Work　事例を読んで，気になった箇所にマーカーや下線を引こう。

新型コロナウイルス感染症（COVID-19）の流行で，世界は大パニックになりました。こうした感染症の世界的大流行（**パンデミック**（pandemic））は，歴史のなかでしばしば起きてきたことです。過去の事例から，今起きていることの歴史的な意味について考えてみましょう。

⬅1「コレラツールキットを開発」(日本ユニセフ協会 YouTube チャンネル，2013 年)

⬆2 2019 年，モザンビークでコレラが流行。写真は集団予防接種の様子。

1　19 世紀のコレラのパンデミック

激しい下痢と極度の脱水症状を引き起こし，死にもつながる**コレラ**（cholera）という感染症があります。[1] 今日でも世界ではコレラが流行する地域があります[2]が，歴史的にみると，19 世紀に6 度にわたってコレラのパンデミックが発生しました。この時代のコレラは，すべてインドの**ベンガル**（Bengal）地方から世界に広がっていったと考えられています。なぜ**ベンガル**の風土病だったコレラがパンデミックに発展したのでしょうか。それは，インドを植民地支配していたイギリスが東南アジア・東アジアまで勢力を広げるとともに，アフリカ大陸や南北アメリカ大陸も併せて，活発な貿易活動を行ったことが主な原因であると考えられています。

コレラの第３次パンデミック(1840～60年)は，幕末期の日本にも上陸して江戸に到達し，多くの死者を出しました。このとき日本にコレラを持ち込んだのは，アメリカのペリー艦隊にいた船員だといわれています。**ペリー艦隊**は太平洋を横断して日本に来たのではなく，アメリカ東海岸から大西洋を横断し，インド洋と中国沿岸を経由して日本に来航しました。[3] その経路のどこかで感染した船員が日本にコレラを持ち込んだのです。[4] つまり，グローバル❶な人の移動がパンデミックのリスクを高めたのです。⇒ **Work❶**

[3] イギリスの植民地支配とペリー艦隊の航路

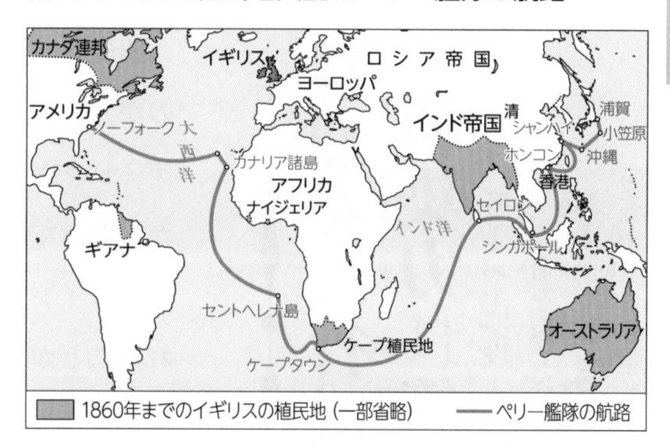

⬆[4]「荼毘室混雑の図」『箇労痢流行記』安政５年(京都大学附属図書館所蔵)。コレラで死者が続出したため，火葬場からは煙が上がり続け，その前には棺が積み上げられている様子が描かれています。

2 20世紀初頭のペストのパンデミック

ペスト(plague)も死に至る症状をもたらす感染症です。歴史的には古くから大流行がありましたが，19世紀末から20世紀初頭にかけて発生したペストのパンデミックは，綿紡績業を中心として**産業革命**が進んでいた時期❷の日本にも到達しました。日本で1905～06年に生じたペスト流行の中心地は**大阪**でした。ペスト流行の背景には，綿紡績業の原材料となる**綿花**を主にインドから輸入していたことがあります。綿花の輸入船にペストを媒介するネズミが入り込み，紡績工場が集積する**大阪**で流行を引き起こしました。[5] 一方，**大阪**に綿花を輸出するインドは，イギリスの貿易活動と結びついていました。ここでは，グローバルな物の移動がパンデミックにつながっていました。⇒ **Work❷**

❶人，商品，お金，情報が国境を意識せずに地球上のどこでも自由に行き来するようになることを**グローバル化**といいます。

❷この時期，渋沢栄一らが大阪紡績会社を設立しました。

⬇[5] 1905～06年のペスト流行地。大阪以外の地域でもペストが流行しています。「明治三十八九年内地ペスト蔓延図」『大阪府百斯篤流行誌』(大阪府，1912年)をもとに作成。

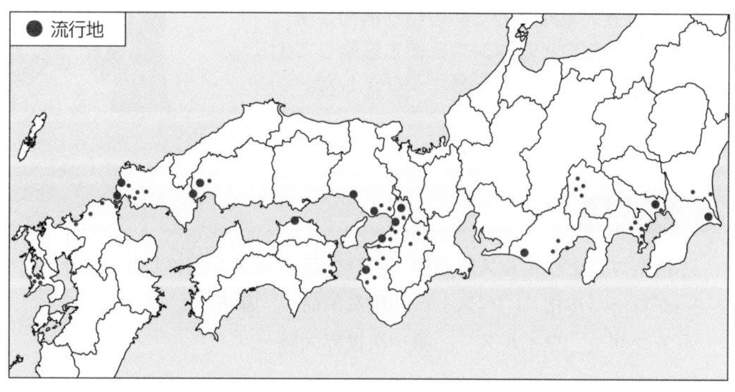

3 20世紀のインフルエンザのパンデミック

新型コロナウイルス感染症と同じ呼吸器系の感染症として有名なのが，スペイン・インフルエンザです。この**インフルエンザ**（influenza）のパンデミックが発生した当時(1918～20年)は，**ウイルス**（virus）の存在が明らかになっておらず，長らく**スペイン風邪**（1918 flu pandemic, Spanish flu）と呼ばれてきましたが，今日ではインフルエンザウイルスによってパンデミックが引き起こされたことがわかっています。6 このパンデミックの発生源は明らかではありませんが，「アメリカ軍の小さな部隊での流行がパンデミックに発展した」という説が有力です。それがスペイン風邪と呼ばれるようになった背景には**第一次世界大戦**（World War I）があります。7 グローバルな戦争がパンデミックにつながったのです。8 ⇒ Work 3

過去の事例から言えることは，グローバル化の進展はパンデミックのリスクの高まりと一体であること，そして，歴史的なパンデミックは必ず収束してきたということです。過度に悲観的になることなく，しかしグローバル化に伴う負の側面にはしっかりと目を凝らしていく，という態度が求められるでしょう。

猛烈な流行感冒
傳染力は第一位
ペストや虎疫より恐ろしい
生命を取られる事は少ないが
熱も高く脳を冒され易い
西班牙風とも亞米利加風ともいふ

↑6 1918年10月24日7面，東京日日新聞

初期には「スペイン風邪」のほか，「アメリカ風邪」とも報じられていました。

ウイルソン氏引籠る
激烈なる感冒に犯さる

↑7 1919年4月6日2面，東京日日新聞

各學校續々休校
流行性感冒患者は日一日と増る一方
病魔は飽迄も横暴

實地視察

有様にて

職員生徒

枚方町民

↑8 1918年11月8日夕刊6面，大阪毎日新聞

第一次世界大戦終結のためのパリ講和会議に出席していたウィルソン大統領も感染して倒れ，講和のゆくえにも影響が及びました。

COVID-19のパンデミックでみなさんも経験したように，スペイン・インフルエンザの流行により休校措置がとられました。

Key Word

□新型コロナウイルス感染症　□パンデミック　□コレラ　□グローバル化　□ペスト　□産業革命　□綿花　□インフルエンザ　□ウイルス　□第一次世界大戦

日付記入欄　読んだらチェック！
年　月　日

Work ❶〜❺に取り組んで，探究のテーマをみつけよう。

Work ❶　19世紀(せいき)におけるコレラのパンデミックは，グローバルな人の移動が一因(いちいん)ですが，なぜこの時代(じだい)にグローバルな人の移動が可能になったのか調べてみよう。

Work ❷　日本では，感染症に対し，どのような感染防止対策が実施されてきたのか調べてみよう。

5　Work ❸　第一次世界大戦とスペイン風邪の関係(かんけい)を調べてみよう。

Work ❹　事例(じれい)について，気(き)になったこととその理由(りゆう)を書いてみよう。

Work ❺　「パンデミック」について，詳(くわ)しく調べてみたいことを書き出(だ)してみよう。

応用 Work

- これまでに世界各国で流行した感染症について調べ，人々に与えた歴史的な影響をまとめて発表しよう。また，新型コロナウイルス感染症の影響は今後どうなるか，自分の意見をまとめて発表しよう。 10
  プレゼンテーション
- 新型コロナウイルス感染症があなたの生活に与えた影響を 1 つ挙げ，その経験を踏まえて，感染症が収束するために必要だと思うことを 400 字以内で書いてください。 小論文

Case
事例 3 家の壁がクライミングウォールに!?

テーマワード➡ **地域活性化**

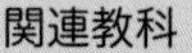

関連教科

地理歴史　公民　家庭　国語　農業　商業

SDGsの目標

地域活性化にはどんな取り組みがある?

キャッチコピーの策定

ゆるキャラの考案

魅力的な地域ブランドを観光振興に活かす

地域ブランディング

地域に企業を誘致すると，雇用が生まれ，税収が増える

企業誘致

地域における消費が増える

地域通貨の発行

Work 事例を読んで，気になった箇所にマーカーや下線を引こう。

地域活性化とは，地域の経済や社会の活力を高める取り組みです。➡p.22ここでは，地域活性化にとって重要な要因とは何かを考えるため，ユニークな方法で地域活性化に挑む事例をみていきましょう。

1 次の50年も楽しく暮らせる場所に

約50年前に建てられた福岡県宗像市の日の里団地は，全68棟，最盛期には2万人が居住していた九州最大級の団地です。[1] 2020年，老朽化により一部の建物を解体するのに伴い，次の50年も暮らし続けられる**サステナブル・コミュニティ**（sustainable community）の実現をテーマとする団地再生プロジェクトが立ち上がりました。プロジェクトには，団地を運営するUR都市

⬆[1] 日の里団地の48号棟

機構に加えて西部ガスや東邦レオなど10社が関与しており，解体予定だった48号棟を住民同士の交流を促す「生活利便施設」に生まれ変わらせようとしています。建物には，地元で生産されたものを地元で消費するという**地産地消**をテーマにしたコミュニティカフェや特産の大麦を活かしたクラフトビールの醸造所などが入るほか，地元の小中学生が発案した「建物の壁をクライミングウォールにする」というプロジェクト[2]が**クラウドファンディング**によって実現されるなど，遊び心満点の仕掛けが次々とできています。⇒ Work ❶

⬆⬅[2] クライミングウォールに生まれ変わった壁

2 地域の復興を支える道の駅

「生活の足」として自動車が欠かせない地域では，**道の駅**が地域活性化に大きな役割を果たしています。近年，注目を集める道の駅の1つが2020年に完成した**道の駅なみえ**です。福島県浪江町では，2011年3月の福島第一原発事故の影響により，約21,000人の全住民が避難を余儀なくされました。2021年8月末までに，1,700人が戻ってきたものの，いまだ約7割が帰還困難エリアに指定されたままです(2022年3月時点)。そうしたなかで，地域再生のシンボルとして誕生したのが**道の駅なみえ**[3]です。

⬆[3]「道の駅なみえ」の外観(上)と売り場(下)

道の駅は，地元のグルメを楽しめるフードコートや産直野菜などを購入できる売店のほか，地域の人々が交流できるスペースも備えた，地域住民と観光客の双方が楽しめる施設です。**道の駅なみえ**で注目すべき点は，**株式会社良品計画**が運営する**無印良品**が出店していることです。**良品計画**には，ソーシャルグッド事業部というビジネスを通じた地域活性化を目標とする部署があります。単に人口規模だけに基づいて出店を決めるのではなく，自社ビジネスが地域活性化に貢献できるかも踏まえて出店を決めたのです[4]。周辺には**無印良品**の店舗がないことから，遠方から来店する客もおり，**道の駅なみえ**の賑わい創出に一役買っています。⇒ Work ❷

⬆[4] 良品計画は浪江町と連携協定を結び，道の駅への無印良品の出店を通じて地域の復興や観光振興に取り組んでいます。「浪江町地域おこし企業人」を務める同社社員が地域コミュニティの再生に力を尽くしています。

3 マイクロツーリズムと地域通貨で地域を再発見

新型コロナウイルス感染症の流行は，日本経済に深刻な影響を及ぼしました。とりわけ，甚大な経済的損失を被った観光業界では，蒸発した**インバウンド需要**を穴埋めすべく，地域住民をターゲットとして地域の魅力を再発見する旅行（**マイクロツーリズム**）⑤❶の提案に力を入れてきました。

❶マイクロツーリズムとは，「自宅から30分～1時間程度で行ける範囲での観光を楽しむ旅行形態」です。

⑤ 従来の旅行とマイクロツーリズム（岐阜県岐阜市に住む人の例）

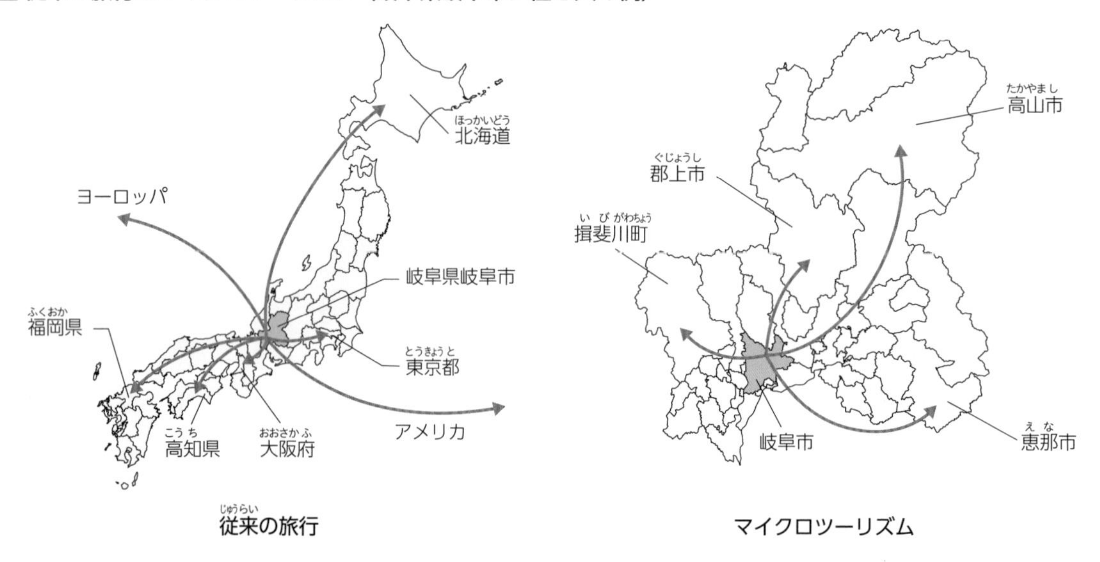

マイクロツーリズムの推進のように，地域の魅力の再発見を促し，地域経済の活性化を図る取り組みはほかにもあります。

長野県上田市は，IT企業の**カヤック**が提供する「**まちのコイン**」というサービスを導入し，**地域通貨**「**もん**」⑥を活用した地域活性化の実証実験に取り組んでいます。もんはスマートフォンなどにアプリをインストールして利用します。地域の店の手伝いなどをするともんが貯まり，貯まったもんは店で商品と引き換えられるというしくみです。もんを使い始めた地域住民のなかからは，地元の店を訪れるきっかけになったという声が上がっています。⇒ Work❸

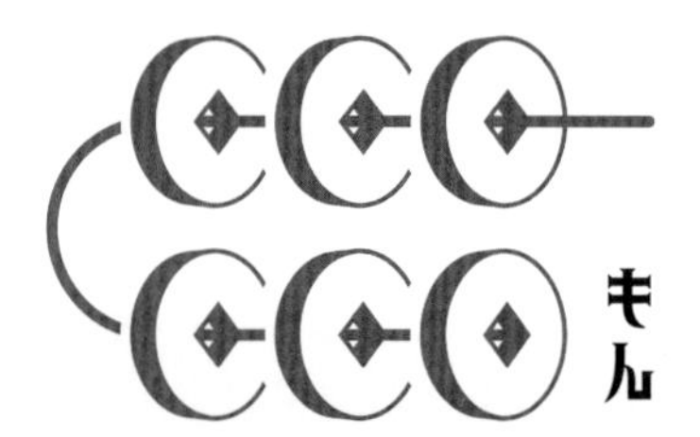

⬆⑥「もん」のロゴ。現在の上田市を拠点に活躍した戦国武将の真田家の家紋「六文銭」が「もん」の名前の由来です。

Key Word

□地域活性化　□サステナブル・コミュニティ　□地産地消　□クラウドファンディング　□道の駅　□新型コロナウイルス感染症　□インバウンド需要　□マイクロツーリズム　□地域通貨

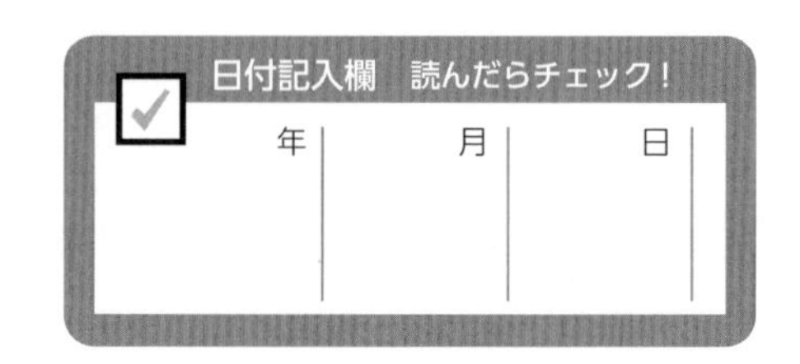

Work ❶〜❺に取り組んで，探究のテーマをみつけよう。

Work ❶　地域活性化を目的としたクラウドファンディングの事例を調べよう。

Work ❷　あなたの住む街の魅力を高める活動や活性化の取り組みについて調べてみよう。

Work ❸　学校周辺にある個人経営の商店や飲食店で，ほかの人におすすめしたい店を挙げてみよう。

Work ❹　事例について，気になったこととその理由を書いてみよう。

Work ❺　「地域活性化」について，詳しく調べてみたいことを書き出してみよう。

応用 Work

- あなたの住む街の魅力について調べ，これからどのように発展させていけばよいか，自分の意見をまとめて発表しよう。また，あなたの住む街の弱み（ウィークポイント）についても，どのように解消できるか，自分の意見をまとめて発表しよう。 プレゼンテーション
- 事例で扱っている地域活性化の取り組みを参考に，自分の身近な地域で取り組むと効果がありそうな取り組みを 1 つ挙げ，取りあげた理由を 400 字以内で書いてください。 小論文

Case

事例 4　流れ星をつくろう！

テーマワード➡ 宇宙ビジネス

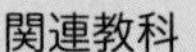

公民　数学　理科　理数　国語　工業　商業

SDGs の目標

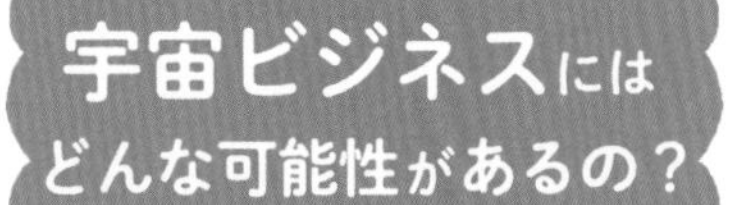

宇宙旅行の商品化

無重力では品質の良いたんぱく質をつくることができるといわれている

無重力環境での実験や開発

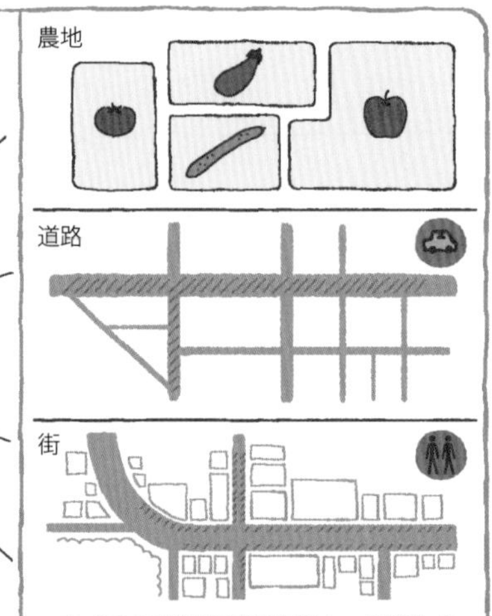

すべての位置情報を収集し，視覚化することも可能に

ビッグデータのさらなる活用

Work 事例を読んで，気になった箇所にマーカーや下線を引こう。

宇宙ビジネス（space business）とは，「ロケットや人工衛星の打ち上げ，衛星を通じたサービスなど，宇宙空間を活用するビジネス」（日本経済新聞，2017 年 4 月 24 日，3 面）です。宇宙ビジネスに挑戦する企業の取り組みを通じ，宇宙ビジネスの現状と課題をみていきましょう。

1 「人工流れ星」に挑戦する企業

⬆1 岡島礼奈さん（左），ALE の企業紹介動画（右）©2022 ALE Co., Ltd.

「もしも好きなときに，好きな場所で，好きなだけ流れ星を見ることができたら…」。こうした夢の実現に挑むのが株式会社 ALE です。ALE は大学で天文学を研究していた岡島礼奈さんによって 2011 年に設立された企業です。1 創業当時は宇宙ビジネスが一般的ではなく，資金調達に苦労したり，目標達成までの長い道のりのなかで組織のメンバーが離れたりするなどの困難を経験しました。しかし，それらを乗り越え人工流れ星を実現させるべく奮闘しています。

ALEは宇宙空間で直径1cmほどの「粒」を放出する人工衛星の開発に取り組んでいます。この人工衛星を宇宙空間に運び，そこから「粒」を大気圏に向けて放出・燃焼させることで，地上からは流れ星のように見せられます。「粒」の材質を変えることで，流れ星の色も変えられます。好きなタイミングで，好きな色の流れ星を発生させるこの人工衛星を活用すれば，観光客誘致などのために流れ星観測イベントを企画したり，テーマパークにおけるショーをロマンティックに演出したり，斬新な企業プロモーションを実施したりといったさまざまなビジネスへの展開が期待できます。⇒ **Work❶**

2 宇宙ビジネスの意義と日本の現状

宇宙ビジネスが私たちに与えてくれるものはロマンだけではありません。人工衛星から送られてくるデータは，科学の発展にとって不可欠であり，農林水産業の効率化や自然災害の予防など，私たちの日常生活や産業活動を支える役割も果たしています。上で述べたALEも人工衛星の開発技術を活用した災害対策などを行っています[2]。宇宙ビジネスは**SDGs** ➡p.20 の達成とも密接に関係しているのです[3]。

日本における宇宙ビジネスは，JAXA（宇宙航空研究開発機構 Japan Aerospace Exploration Agency）の主導で進められてきました。小惑星探査機「はやぶさ2」は，極めて高度な技術を駆使し，小惑星リュウグウに金属の塊を衝突させ，人工のクレーターをつくりました。これにより，放射線などによる宇宙風化の影響をあまり受けていない地中の砂を採取し，地球へ持ち帰ることに成功しました。持ち帰った小惑星の砂の解析を進めることで，地球の生命の起源を探るヒントが得られると期待されています。また，「H-IIAロケット」の打ち上げ実績も世界的に高く評価されています。これら政府主導のプロジェクトを支えているのは民間企業の高い技術力です。はやぶさ2の開発・運用には，NECや三菱電機をはじめ100を超える日本企業が関わっています。しかし，日本ではALEのように民間主導で宇宙ビジネスに乗り出す例は限定的です。そこで政府が2017年に策定した「宇宙産業ビジョン2030」では，企業の宇宙ビジネスへの新規参入を促すために資金供給を増やすなどの方策が示されました。⇒ **Work❷**

[2] 人工衛星の開発技術の活用

ALEでは，人工流れ星の開発技術などを活かして，大気のデータを取得・分析し，気象予測の高度化にも取り組んでいます。これにより災害対策や農産物の生産・流通の効率化などに貢献することも目指しています。その他，宇宙ゴミ（スペースデブリ）対策装置の開発にも技術を応用しています。

⬆ALEの人工流れ星（イメージ）

[3] 衛星データの利用とSDGsの達成

青森県産業技術センターの水産総合研究所は，衛星データを漁業の効率化に役立てています。同研究所はJAXAの気候変動観測衛星「しきさい」から得られたデータをもとに海水温の分布を示す地図を作成・公開しました。漁師がこのデータを活用することで養殖や漁場予測を効率化し，収穫量を増加させたり，燃料を節約したりすることが期待されます。また，東京海上ホールディングスは災害発生時に，実地調査の代わりに人工衛星のデータを用いることで被害状況を迅速に把握し，保険金をすばやく支払うサービスを開発中です。

⬆「しきさい」による観測画像（海水温の分布は表示していない）

3 宇宙ビジネスの課題

企業が安心して宇宙ビジネスに参入するためには，法律の整備が必要です。日本では2021年に**宇宙資源法**が成立しました。同法では，宇宙空間で採掘した水や鉱物などの資源の所有権を民間企業などに認め，民間企業の宇宙ビジネス参入のさらなる後押しを図っています。[4] しかし，有人宇宙旅行に関する法律の制定など，依然として整備の必要な分野も残されています。さらに，宇宙空間の利用は**安全保障**にも関わるため，国内法の整備だけでなく，世界各国とのルールづくりも必要です。

また，**宇宙ゴミ**(**スペースデブリ** space debris)と呼ばれる宇宙の環境問題への対処も宇宙ビジネスを発展させるためには不可欠です。宇宙ゴミは過去に使用されていた人工衛星やロケットの残骸であり，その数は小さなものを含めると1億個以上にのぼると言われます。ライフル銃の弾丸の約7倍という恐るべきスピードで地球の周囲を飛び回っており，もしもそれらが人工衛星に衝突したら，重大事故につながります。そうなれば，人工衛星を運用している企業にとって大きな経済的損失となるだけでなく，私たちの暮らしや産業活動にも甚大な被害が及びます。そのため，宇宙ゴミの処理は世界各国で協調して取り組むべき重要な課題です。[5] ⇒ Work ❸

[4] 宇宙における資源の活用

将来，月や火星に基地などを建設する際に，必要な資材を地球から運んでいたのではコストが膨大になります。そこで，現地で調達した土や水を活用できれば，効率的に宇宙開発を進められると期待されています。

⬆月面基地のイメージ(JAXA)

[5] 宇宙ゴミの除去をする企業とその手法

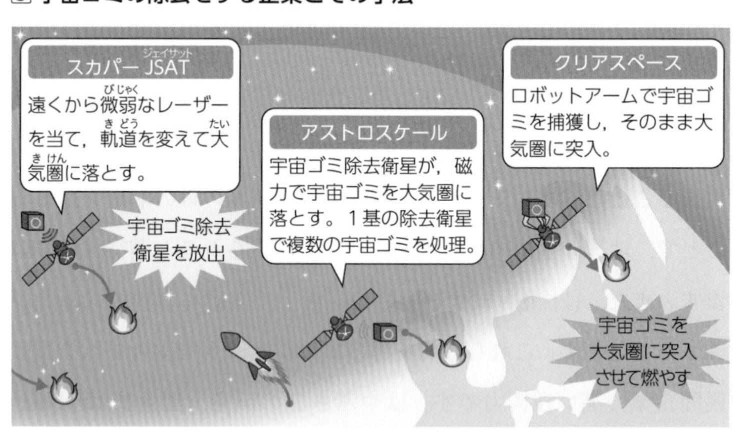

※『日経ビジネス』(2021年9月6日)，p.47を加工して作成。

⬆2020年2～3月「1分で分かるスペースデブリ除去システム」編 JAXA on AIR 機内映像

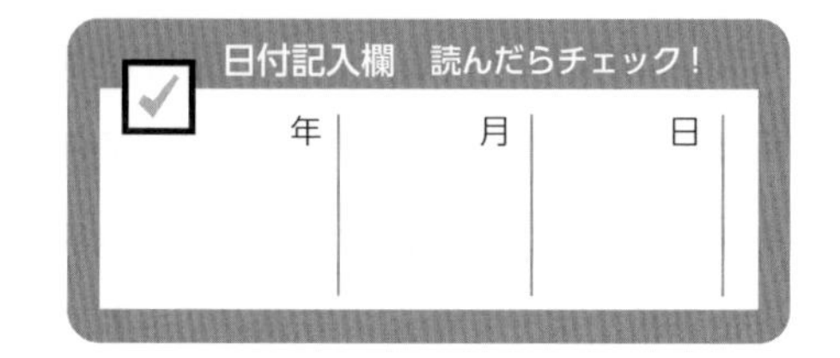

Key Word

□宇宙ビジネス　□SDGs　□宇宙資源法　□安全保障
□宇宙ゴミ　□スペースデブリ

Work ❶〜❺に取り組んで，探究のテーマをみつけよう。

Work ❶　ALE のほかに宇宙ビジネスを手がける企業を調べてみよう。

Work ❷　人工衛星のデータを使ったビジネスについて調べてみよう。

Work ❸　宇宙開発が進むと，本文で挙げたほかに，どのような課題が生じるか考えてみよう。

Work ❹　事例について，気になったこととその理由を書いてみよう。

Work ❺　「宇宙ビジネス」について，詳しく調べてみたいことを書き出してみよう。

応用 Work

- これまでの宇宙開発の歴史について調べ，人類にどのような影響を与えたか，その時代の社会的な背景もあわせて調べ，発表しよう。また，現在進行している宇宙開発について調べ，どのような未来が人類にとって望ましいか，自分の意見をまとめて発表しよう。 プレゼンテーション
- 事例の内容を踏まえて，宇宙ビジネスに取り組む意義について，あなたの意見を 400 字以内で書いてください。 小論文

Case
事例 5 気候変動をどうする？

テーマワード➡ **気候変動**

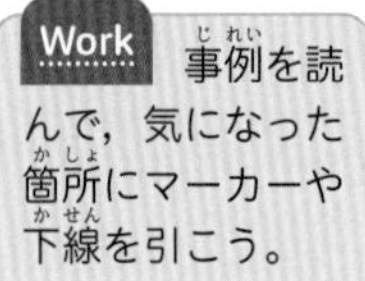

グローバルな課題である**気候変動**とそれに大きな影響を与えていると考えられる**地球温暖化**の問題について考えてみましょう。

1 気候変動と「人間の影響」

2021年7月，日本とヨーロッパでは大雨に伴う甚大な自然災害が相次いで発生し[1]，多くの方が亡くなりました。このような自然災害は，近年世界中で増加傾向にあります。

このような災害をもたらす**異常気象**の要因として世界で重要視されているのが，地球温暖化に伴う気候変動です。各国政府の気候変動に関する政策に科学的な基礎を与えることを目的に組織された国際組織である気候変動に関する政府間パネル（IPCC）(Intergovernmental Panel on Climate Change) の報告書では，**「人間の影響が大気，海洋及び陸域を温暖化させてきたことには疑**

⬆[1] 2021年7月にドイツで発生した豪雨の被害状況を視察するメルケル首相（当時）

う余地がない。大気，海洋，雪氷圏及び生物圏において，**広範囲かつ急速な変化が現れている**」と述べられています。IPCCの報告書にある「人間の影響」とは，具体的には二酸化炭素（CO_2），メタン（CH_4），一酸化二窒素（N_2O）などといった**温室効果ガス**の排出を意味しています。「広範囲かつ急速な変化」の例には，極端な高温や大雨，干ばつの増加が挙げられています。日本でも，真夏の暑さは年々厳しくなり，災害につながるような大雨の発生回数も増加しています。[2] ⇒ Work ❶

2 温室効果ガス排出規制の困難さ

なぜ温室効果ガスの排出量増加（吸収量減少）を止め，温暖化の進行を抑制できていないのでしょうか。[3][4] もちろんそれを目指して，各国は国連気候変動枠組条約締約国会議（COP）などの場を通じて協議をくり返しています。COPでは，京都議定書（1997年）やパリ協定（2015年）などで温室効果ガスの削減に向けた行動指針を取り決めてきました。しかし，これらの目標は温暖化を緩やかにするというものであり，温暖化の完全な停止は目標ではありません。その理由は，すでに排出された温室効果ガスの影響の除去が難しいということに加え，COPの交渉過程では各国の利害対立が表面化する場合が少なくないからです。⇒ Work ❷

3 温室効果ガス排出削減への市場的対応

一方，温室効果ガスの排出削減への取り組みは，少しずつ実行され始めています。その代表例は**カーボンプライシング**です。カーボンプライシングとは，「炭素」に価格を付け，排出者の行動を変容させることによって世界全体のCO_2排出量を抑制しようという手法です。この手法に基づく制度にはいくつかの種類がありますが，代表的なものは**炭素税**と**排出権取引**です。

[2] 年間の大雨発生回数と猛暑日の推移

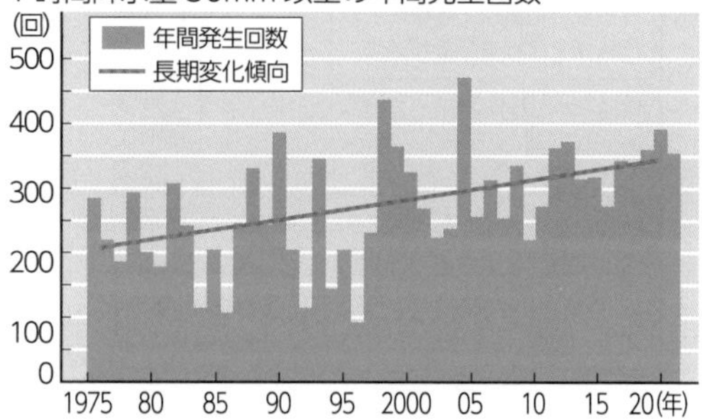

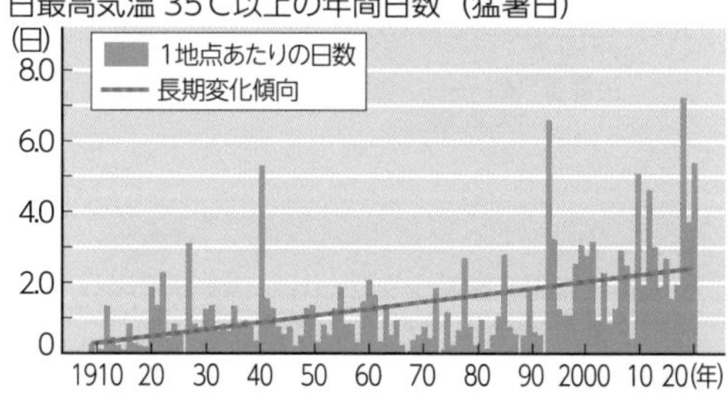

※気象庁「大雨や猛暑日など（極端現象）のこれまでの変化」より作成。上のグラフは1,300地点あたりの発生回数，下のグラフは1地点あたりの日数。

[3] 温室効果ガスの増加と温暖化

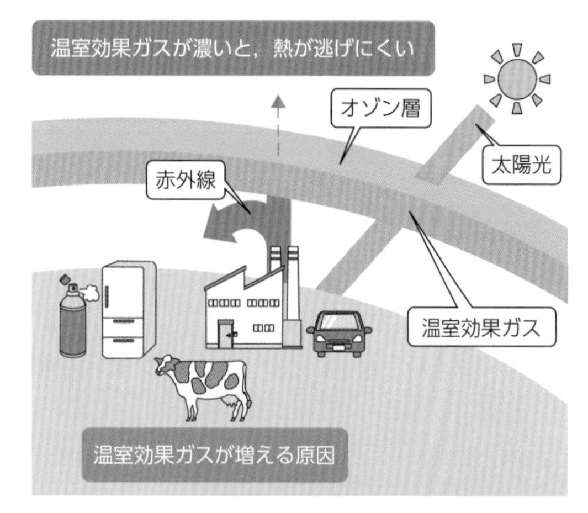

[4] 2021年には，気候モデルを開発してCO_2濃度の上昇が地球温暖化に影響すると予測した真鍋淑郎氏らに，ノーベル物理学賞が授与されました。

5 ピグー課税

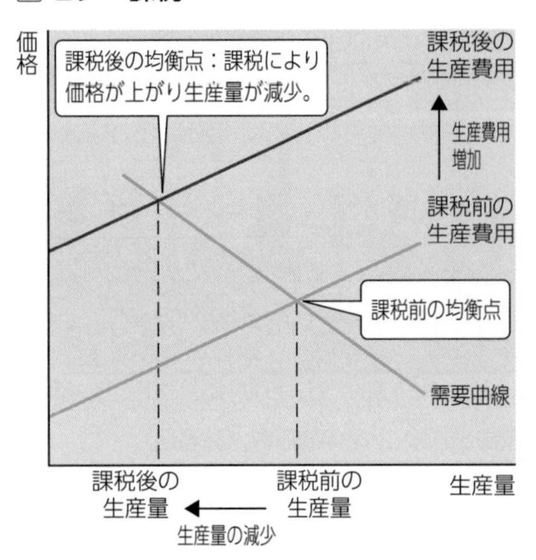

ピグー課税をもとにした税制では，「課税後の生産費用」を減少させなければ生産量を減らさなければいけなくなるので，企業は課税を避ける行動をとる必要に迫られます。そのため，CO_2 排出量に応じて課税すれば企業は排出削減に積極的になるだろう，と見込んでいます。

炭素税のアイディアの基礎には，**ピグー課税**（Pigovian tax）5 という経済理論があります。この理論に基づいて，「CO_2 排出を外部に損害を与えるある種の公害とみなし，その損害分を金額換算して政府が排出者に課税すれば，排出者は課税額をコストと認識して CO_2 排出につながる行動を低減させるだろう」というのが炭素税の考え方です。

排出権取引では，あらかじめ設定した「CO_2 排出枠」を超えて CO_2 を排出する企業などは，ほかの企業などが努力して排出を抑制して余った排出枠を購入しなければいけない，というルールを定めます。このルールを共有する企業などが国内外で増えていけば，何も取り組みをしないよりは世界全体での CO_2 排出量を削減することができるだろう，というのがこの制度です。6

ただし，これらの手法は**市場取引**のしくみを利用して間接的に温室効果ガスの排出抑制を目指そうという取り組みで，温室効果ガスの排出を直接規制するものではありません。したがってこれらの手法が成功したとしても，温室効果ガスはこれからも排出され続けることになります。これが世界の地球温暖化対策の現状です。⇒ Work❸

6 排出権取引のしくみ

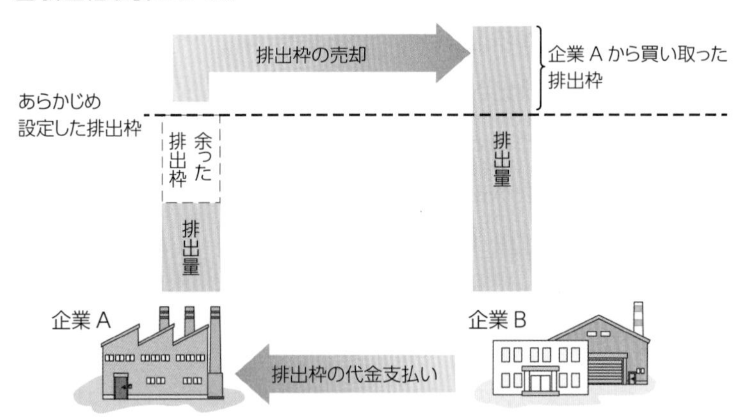

Key Word

□気候変動　□地球温暖化　□異常気象　□温室効果ガス　□カーボンプライシング　□炭素税　□排出権取引　□ピグー課税　□市場取引

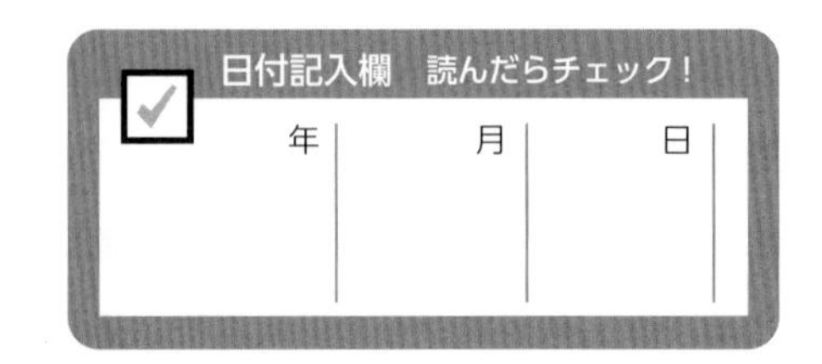

Work ❶〜❺に取り組んで，探究のテーマをみつけよう。

Work ❶　身近な地域における過去40年間の年間降水量や最高気温の推移を調べ，気づいたことを書いてみよう。

Work ❷　なぜ「温暖化を完全に停止させる」ことを目標にできないのか考えてみよう。

Work ❸　排出権取引の日本の現状について調べてみよう。

Work ❹　事例について，気になったこととその理由を書いてみよう。

Work ❺　「気候変動」について，詳しく調べてみたいことを書き出してみよう。

応用 Work

- 気候変動の要因についていくつか調べ，それぞれの特徴をまとめて発表しよう。また，気候変動による影響を抑えるために，私たちができる取り組みについて調べ，自分の意見とあわせて発表しよう。 プレゼンテーション
- 気候変動による影響を抑えるために，企業はどのように取り組んでいくべきか，あなたの意見を400字以内で書いてください。 小論文

Case
事例 6　その商品をつくった人は幸せ？

テーマワード➡ **サステナビリティ**

関連教科

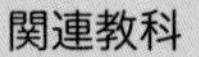

地理歴史　公民　理科　家庭　国語　外国語　商業

SDGsの目標

サステナビリティへの配慮ってどんなこと？

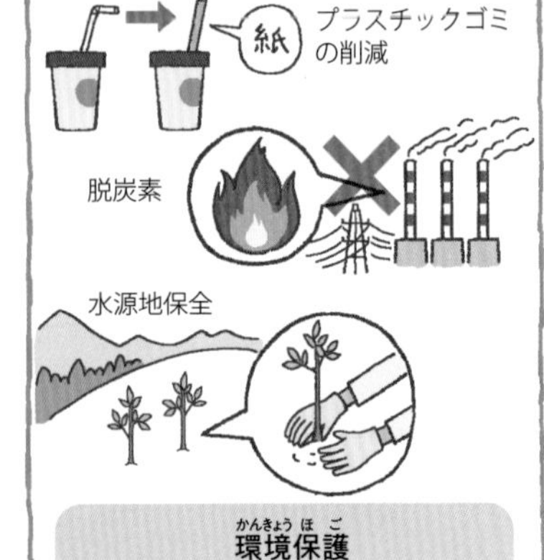

環境保護

再生可能エネルギーの活用

地域間格差の是正，人権の尊重

Work 事例を読んで，気になった箇所にマーカーや下線を引こう。

❶企業活動によって，利益を得たり損害を受けたりする人々や組織です。利害関係者ともいいます。

⬆1 東京都世田谷区のドナルド・マクドナルド・ハウス

サステナビリティ(持続可能性)とは，「環境・社会・経済などが将来にわたって適切に維持・保全され，発展できること」(デジタル大辞泉) です。これからのビジネスにおいてサステナビリティへの多角的な配慮が不可欠であることについてみていきましょう。

1 マクドナルドのSDGsに関する取り組み

マクドナルドの創業者レイ・クロックは，「We Give Back to Our Community.（コミュニティに恩返しをしよう）」という理念を掲げました。レイ・クロックは，企業の存続や発展には**ステークホルダー**❶を大切にすることが不可欠だと考えたのです。マクドナルドは，現在もこの理念を重視しており，**SDGs**に関わるさまざまな活動に取り組んでいます。

たとえば，SDGs の目標の 3 と 11 に関しては，**ドナルド・マクドナルド・ハウス**[1]の取り組みがあります。➡p.20 この取り組みでは，高度小児医療を扱う病院の近くに滞在施設を設置し，病気と闘う子どもとその家族の生活を支えるために 1 泊 1,000 円で宿泊サービスを提供しています❷。また，マクドナルドでは，ハンバーガーをはじめとする商品の原材料には環境認証を取得したものを積極的に採用し，SDGs の目標 14 や 15 の達成に貢献しています。たとえば，コーヒー豆は，**レインフォレスト・アライアンス認証**❸を取得した農園から調達しています。この認証は環境保護や生産者の労働条件などに配慮して栽培されたことを保証するものです。このほかにも，環境に配慮した電動三輪バイクを宅配サービスに導入したり，不要になったハッピーセットのおもちゃをリサイクルしたりといった多彩な活動を展開しています[2]。⇒ **Work ❶**

❷ドナルド・マクドナルド・ハウスは寄付金などの支援によって運営されています。消費者は店頭募金のほか，サポート会員になることでこの活動を支援できます。また，アプリでもハッピーセットに＋10 円の募金つきのクーポンを配信しています。

❸レインフォレスト・アライアンスに類似した取り組みとして，**フェアトレード**があります。フェアトレードとは「開発途上国の原料や製品を適正な価格で継続的に購入することにより，立場の弱い開発途上国の生産者や労働者の生活改善と自立を目指す『貿易のしくみ』」（フェアトレード ジャパン ウェブサイト）です。

2 ビジネスとサステナビリティ

企業がビジネスを展開するにあたっては，経済的な成長を追い求めるだけでなく，環境や社会という観点からもサステナビリティに配慮することが不可欠です。

企業がサステナビリティを重要視する背景の 1 つに，**エシカル消費**（倫理的消費）の拡大にみられるような消費者の意識変化があります。エシカル消費とは，環境やつくり手の人権などに配慮してつくられた商品を積極的に購入し，社会的課題の解決に貢献しようとする消費のあり方です[3]。コーヒーでは，「安くておいしいコーヒーが飲めればよい」という姿勢ではなく，「レインフォレスト・アライアンス認証を取得した農園から仕入れたコーヒーを積極的に選ぶことで，環境保護やコーヒー豆農家の生活水準向上に役立ちたい」と考える消費者が増えています。また，企業がサステナビリティを重要視する背景には，投資家や取引先企業の意識変化もあります。投資家は企業がサステナビリティを重視しているかをますます慎重に判断して投資（**ESG 投資**）をするようになり，企業間でもサステナビリティに配慮している企業と積極的に取引をする機運が高まっています。⇒ **Work ❷**

ethical consumption

Environmental, Social and Governance investing

⬆[2] 走行時に CO_2 を排出しない電動三輪バイク（左）と店舗に設置された「おもちゃリサイクルボックス」（右）。おもちゃリサイクルボックスは，不要になったハッピーセットのおもちゃの回収を受け付けており，集まったおもちゃはトレーなどにリサイクルされます。

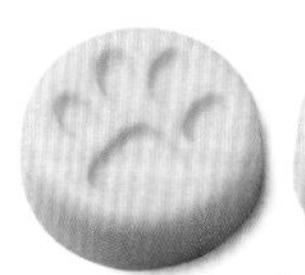

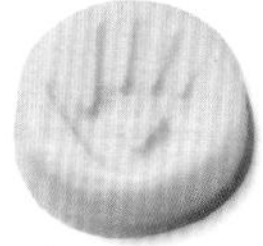

⬆[3] コスメの製造・販売を手がける LUSH（本社：イギリス）は，すべての過程で動物実験を実施しないことやパッケージのない商品の提供を心がけることなど多様な取り組みをしており，エシカル消費に取り組む消費者から支持されています。写真は，動物性の原材料を一切用いていないヴィーガン対応のハンド＆ボディローションです。包装なしの状態で販売されており，消費税を除く全額が寄付される商品です。

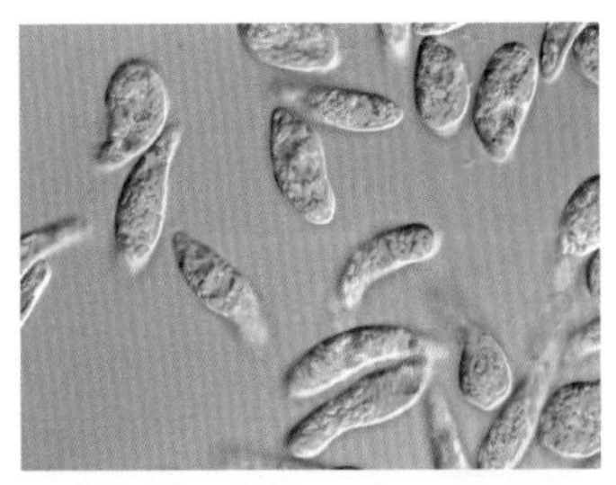

⬆4 株式会社ユーグレナは使用済みの食用油とユーグレナなどの藻類を原料とするバイオ燃料「サステオ」を開発。2021年には航空機での初飛行に成功しました。写真は，微細藻類ユーグレナ(和名：ミドリムシ)(上)と「サステオ」を使用したフライトを実施したFDAのジェット旅客機(下)。
写真提供：㈱ユーグレナ

3 グローバル化とサステナビリティ

原材料の調達から完成した商品が消費者の手元に至るまでの一連の流れを**サプライチェーン**(supply chain)といいます。**グローバル化**(globalization)が進んだ今日，サプライチェーンをさかのぼると，日本の店頭で購入された洋服がベトナムの工場で縫製されたものであったり，原材料の綿花が中国で栽培されたものであったりします。また，世界のサッカーボールの70%以上がパキスタンで生産されています。

近年，自社内だけでなくサプライチェーン全体においても，環境破壊などのサステナビリティに関わる問題のチェックと改善が求められています。航空業界は**温室効果ガス**(greenhouse gas ➡p.43)の排出量削減に熱心に取り組む業界の1つです。日本では，全日本空輸(ANA)や日本航空(JAL)が**SAF**(Sustainable Aviation Fuel)(持続可能な航空燃料)の活用を促進しています。4 また，低燃費機材の導入なども進めることで，日本の航空業界全体で2050年までにCO_2の実質排出量をゼロにする**カーボンニュートラル**(carbon neutrality)の実現を目標としています。

環境破壊のみならず人権侵害のチェックと改善も欠かせません。5 2021年には，中国のウイグル自治区で生産された新疆綿❹を用いているメーカーの対応に注目が集まりました。今後は，サプライチェーンにおける**人権デューデリジェンス**(human rights due diligence)❺の重要性が一層高まるでしょう。⇒ Work❸

❹新疆綿の生産で，中国政府によるウイグル人の強制労働が疑われている点が問題視されています。

❺「企業が取引先を含めた人権侵害を把握し，予防策を講じる仕組み」(日本経済新聞，2022年2月15日，3面)です。

5 サプライチェーンにおいて起こり得る人権問題

児童労働，強制労働

低賃金，過重労働

ハラスメント

Key Word

□サステナビリティ　□ステークホルダー　□SDGs　□フェアトレード　□エシカル消費　□ESG投資　□サプライチェーン　□グローバル化　□温室効果ガス　□SAF　□カーボンニュートラル　□人権デューデリジェンス

日付記入欄　読んだらチェック！

年	月	日

Work ❶〜❺に取り組んで，探究のテーマをみつけよう。

Work ❶ SDGsの取り組みを実施している企業とその内容について調べてみよう。

Work ❷ サステナビリティを軽視する企業に対してステークホルダーがどのように反応するか，消費者だけでなく，投資家や取引先など，さまざまな立場になって考えてみよう。

Work ❸ あなたの持ち物（服や文房具など）が製造された国（Made in ○○）を調べてみよう。

Work ❹ 事例について，気になったこととその理由を書いてみよう。

Work ❺ 「サステナビリティ」について，詳しく調べてみたいことを書き出してみよう。

応用 Work

- SDGsについて取り組んでいる企業を調べ，その取り組みにより，消費者や労働者にどのような影響があるかを発表しよう。また，消費者である私たちができる取り組みについて考え，あわせて発表しよう。 プレゼンテーション
- p.20のSDGsの目標のなかで，あなたが最も実現するべきだと感じる目標と，そう感じた理由を400字以内で書いてください。 小論文

Case 事例 7

少子化・高齢化する社会で生きる

テーマワード➡ **少子化，高齢化**

新たに産まれる子どもの数が少なくなる**少子化**(declining birthrate)と人口構成に占める高齢者の割合が高くなっていく**高齢化**(population aging)はなぜ生じるのか，少子化と高齢化がなぜ解決すべき問題なのか，考えていきましょう。

1 人口転換

少子化と高齢化が生じるプロセスを理解するのに役立つのが，時代の変化や経済の発展段階によって人口が変化することをまとめた**人口転換**(demographic transition)という概念です。[1] 人口転換では，社会の状況を「多産多死」「多産少死」「少産少死」の3段階に分けて考えます。社会経済の発展度が低い段階では，子どもが多く産まれる一方で，栄養状態や衛生環境が不良で亡くなる人の数も多い多産多死の状態が続きます。[2]

[1] 人口転換の概念図

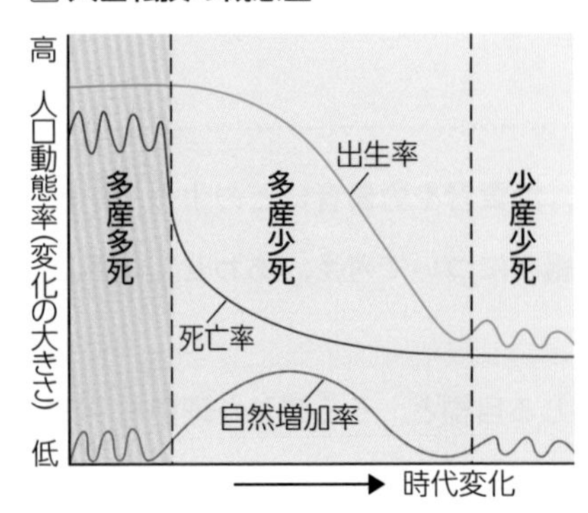

経済発展の兆しがみえ始めると，栄養状態や衛生環境の改善が少しずつ進み，まずは社会全体の死亡率が下がっていきます。この段階では，発展度が低い部門が社会経済のなかに残っているため，出生率はすぐには下がりません。ここで**多産少死**の状態となり，人口は増加局面に入ります。そして，経済がより発展して都市化・消費社会化が進行すると，働いて得た所得の範囲内でより豊かな生活を送りたいと望む人が増え，子どもの数を絞り込むようになります。このようにして**少産少死**の社会が到来します。少産少死の社会では，人口の伸びが停滞するとともに高齢化が進みます。そして，いずれ死亡数が出生数を上回る**少産多死**の社会が訪れ，人口減少が始まります。⇒ Work❶

2 少子化・高齢化する日本社会

現在日本で高校生活を送るみなさんも人口転換のプロセスのただなかにいます。みなさんが産まれた頃，たとえば2007年の日本では，年間約109万人の子どもが新たに産まれました。一方，第2次ベビーブームのピークである1973年の日本では，年間約209万人の子どもが産まれていました。このように，1973年から2007年までの間，出生数は大きく減少しました。少子化は，受験競争の緩和をもたらすといった面もありますが，多くの場合は解決すべき問題に位置付けられます。なぜなら，子どもはいずれ成長して大人となり，社会経済の主たる働き手になるからです。日本をはじめとする先進国は，少子化のために働き手の数が減って社会経済の活力が失われるとともに，高齢化によって増えていくお年寄りをどのように支えていくのかという問題に直面しています。[3]

高齢化の問題に対して，日本では**年金**の給付を開始する年齢を引き上げてきたほか，年金の受給を開始する年齢を75歳までくり下げることを国民が選択できる制度[4]（受給月額はその分増額，2022年4月から）を導入しています。その一方で，職場を引退する定年年齢の引き上げや定年後の**再雇用**の促進など，高年齢者が現役の働き手として活躍する期間を延ばす政策も試みられています。また，国外で生まれ育った外国人に日本に来て働いてもらうことで，少子化で減少した**労働力**(labor)を補うという動向もみられます。⇒ Work❷

[2] 世界の乳児死亡率国・地域別順位（出生数に対する死亡数が少ない順に順位づけ）

国・地域	1990年	2018年
モザンビーク	161位	54位
リベリア	175位	53位
インド	89位	30位
ブラジル	53位	13位
ジャマイカ	25位	12位
中国	42位	7位
アメリカ	9位	6位
イギリス	8位	4位
韓国	13位	3位
日本	5位	2位
フィンランド	6位	1位

※日本ユニセフ協会「世界子供白書2019」より作成。

[3] 日本の出生数の推移

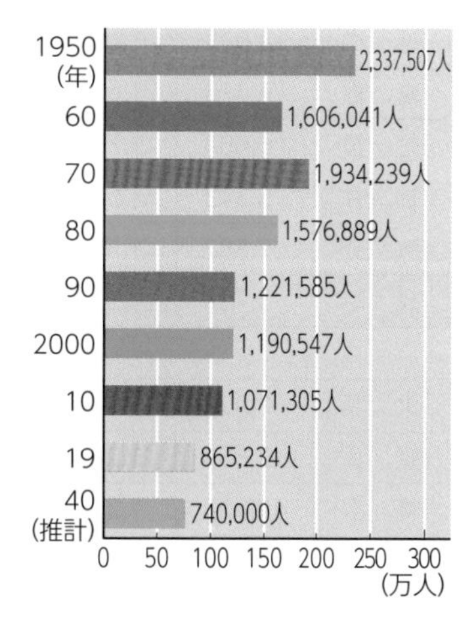

※2019年までは厚生労働省「人口動態統計」，2040年は国立社会保障・人口問題研究所「日本の将来推計人口」より作成。

[4] 年金受給開始時期の選択制度

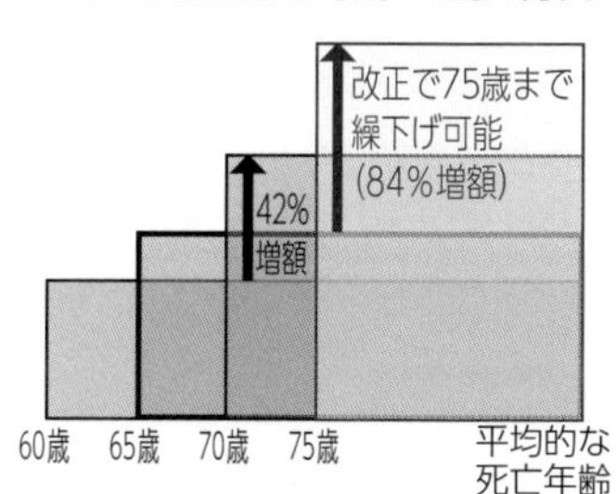

※厚生労働省「令和2年度版厚生労働白書」より作成。

3 合計特殊出生率の国際比較と国内比較

多くの先進国で進んでいる少子化と高齢化は，人口転換によって生じていると考えられます。ただし，先進国間，または先進国内における少子化と高齢化の状況には差異があります[5]。たとえば，ほかの国や地域と日本で，**合計特殊出生率**❶を比較すると，近年では先進国のなかでも格差があることが分かります。

合計特殊出生率は，日本国内の地域間でも差異があります。[6] 東京圏のような大都市圏では，1年間に産まれる子どもの数を示す出生数が多い一方で，合計特殊出生率が低くなっています。これは，「新たに子どもをもうける夫婦の世代がほかの地域から大都市圏に多く流入していること」や「そうした夫婦が大都市圏以外の地域に住んでいればより多くの子どもが産まれていたかもしれない」といった可能性を示唆しています。大都市圏への子育て世代の集中が，日本の少子化に拍車をかけているかもしれません。⇒ Work❸

❶「15歳から49歳までの女性の年齢別出生率を合計したもの」で，1人の女性がその年齢別出生率で一生の間に生むとしたときの子どもの数に相当する。（厚生労働省『令和2年(2020)人口動態統計(確定数)の概況』より）

5 各国・地域別の合計特殊出生率の推移

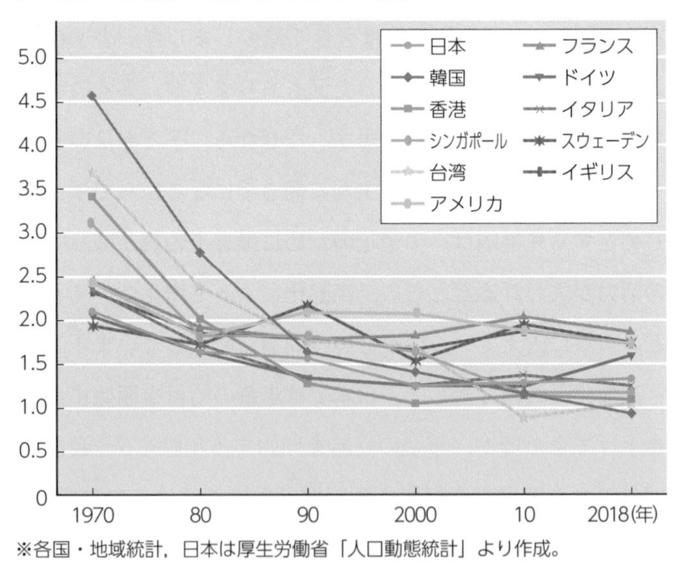

※各国・地域統計，日本は厚生労働省「人口動態統計」より作成。

6 都道府県別合計特殊出生率（ベスト10とワースト10）

都道府県	出生数(人)	合計特殊出生率	
		率	順位(位)
沖縄	14,943	1.83	1
宮崎	7,720	1.65	2
長崎	9,182	1.61	3
鹿児島	11,638	1.61	4
熊本	13,011	1.60	5
島根	4,473	1.60	6
佐賀	6,004	1.59	7
福井	5,313	1.56	8
大分	7,582	1.55	9
鳥取	3,783	1.52	10
～			
大阪	61,878	1.31	38
奈良	7,831	1.28	39
埼玉	47,328	1.27	40
千葉	40,168	1.27	41
京都	16,440	1.26	42
神奈川	60,865	1.26	43
秋田	4,499	1.24	44
北海道	29,523	1.21	45
宮城	14,480	1.20	46
東京	99,661	1.12	47

※厚生労働省『令和2年(2020)人口動態統計(確定数)の概況』より作成。

Key Word

□少子化　□高齢化　□人口転換　□年金　□再雇用　□労働力　□合計特殊出生率

日付記入欄　読んだらチェック！
年　月　日

Work ❶〜❺に取り組んで，探究のテーマをみつけよう。

Work ❶　日本，またはどこか１つの国を挙げて，過去100年間の人口の推移を調べ，「人口転換」について考えてみよう。

Work ❷　少子化・高齢化の対策を挙げ，それらの良い面と悪い面を考えてみよう。

5 **Work ❸**　大都市圏ではなぜ合計特殊出生率が低くなるのか，その原因を調べて考えてみよう。

Work ❹　事例について，気になったこととその理由を書いてみよう。

Work ❺　「少子化，高齢化」について，詳しく調べてみたいことを書き出してみよう。

応用 Work

- 出生数と合計特殊出生率を調べ，出生数が多い地域と少ない地域，合計特殊出生率の高い地域と低い
10 地域のそれぞれの要因を考え発表しよう。また，少子化と高齢化に対して今後の日本の取るべき方策を考え，あわせて発表しよう。プレゼンテーション
- 日本の合計特殊出生率が増加するにはどのように取り組みが必要か，400字以内であなたの意見を書いてください。小論文

Case
事例 8

「人生100年時代」とライフサイクル・リスク

テーマワード➡ライフサイクル

関連教科

公民　家庭　国語　商業　福祉

SDGsの目標

ライフサイクルにはどんなイベントがある？

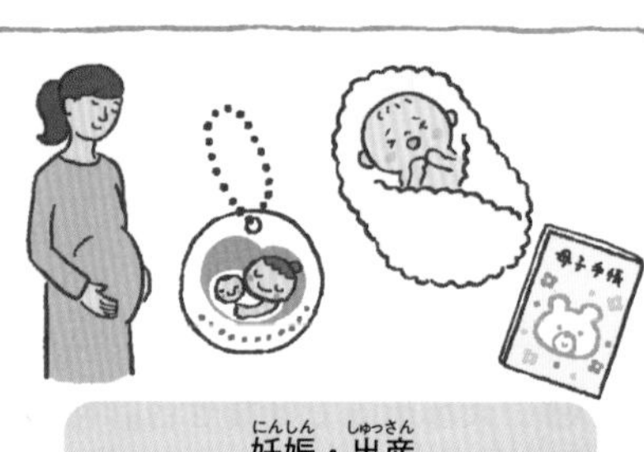

Work 事例を読んで，気になった箇所にマーカーや下線を引こう。

日本は，**平均寿命**が延び，「長い人生」を送る人が増加する傾向にあります。[1] ここでは，人生における**リスク**（risk）について考えましょう。

1 ライフサイクルとさまざまなリスク

人が生まれてから亡くなるまでの過程を**ライフサイクル**（life cycle）といいます。ライフサイクルの各段階において，多くの人に共通するリスクが存在します。

誕生直後の乳幼児期には，その後生き延びられるかどうかの生存リスクがあります。赤ちゃんが誕生して健やかに成長することは，けっして当たり前のことではありません。日本でも過去には**乳児死亡率**が高く推移した時代が長く続きました。また，乳児死亡率が著しく低下した今日でも乳児死亡はゼロではありません。[2] 私たちは生

[1] 日本の平均寿命の推移

西暦	男	女
1960年	65.3歳	70.2歳
1970年	69.3歳	74.7歳
1980年	73.4歳	78.8歳
1990年	75.9歳	81.9歳
2000年	77.7歳	84.6歳
2010年	79.6歳	86.3歳
2020年	81.6歳	87.7歳

※厚生労働省「令和２年簡易生命表の概況」から作成。

まれたその日から生存リスクにさらされているのです。

年老いてからは，心身が衰えていくリスク，働く能力や意欲が衰えていくリスク，そして家族に先立たれるといった家族を失うリスクなどがあります。「生まれてから亡くなるまでの人生をいかに充実して過ごすか」ということを大切に考えるならば，これらのリスクを低減あるいは回避していくことは，人生にとって重要なことです。

人生の節目(**ライフイベント** life event)にも，さまざまなリスクがあります。3 たとえば，保護者の元を離れて自立する際にもリスクがあります。また今後，結婚したり子どもが生まれたりして家族を形成する人も多いでしょう。そうしたおめでたい出来事にもリスクは潜んでいます。⇒ Work ❶

2 社会保障と「自助」「共助」「公助」

失業リスクや疾病リスクのように，多くの人に共通するリスクに応じて，現代では**社会保障** social security という制度があります。たとえば，日本においては，失業リスクに対しては**失業保険制度**があり，病気やけがのリスクに対しては**健康保険制度**があり，リスクに伴う困難が生じた場合に対処するための制度として用意されています。そしてより包括的な生活の危機，すなわち貧困リスクに対しては**生活保護制度**が存在します。これらの制度は，政府が行う**公助**に該当します。

もっとも，さまざまなリスクに対して**公助**ではない形で備えることを求める主張も存在します。たとえば，2020年に菅義偉首相(当時)は，首相就任時の所信表明演説で**自助**を前面に押し出す発言をしています。4 この発言は，公助としての社会保障に関わる費用が国家財政を圧迫しているのでその削減が必要だ，という問題意識を反映していました。しかし，公助を担う行政府の責任者に就任したばかりの人物が「まずは自分でやってみる」，つまり**自助**の優先が目指すべき社会像だ，と主張したことには批判も寄せられました。なお，公助とは異なり，制度化されない形で人々がたがいに助け合う**共助**という考え方も重視されています。⇒ Work ❷

2 日本の乳児死亡数・乳児死亡率の推移(上)と死因別割合(下)

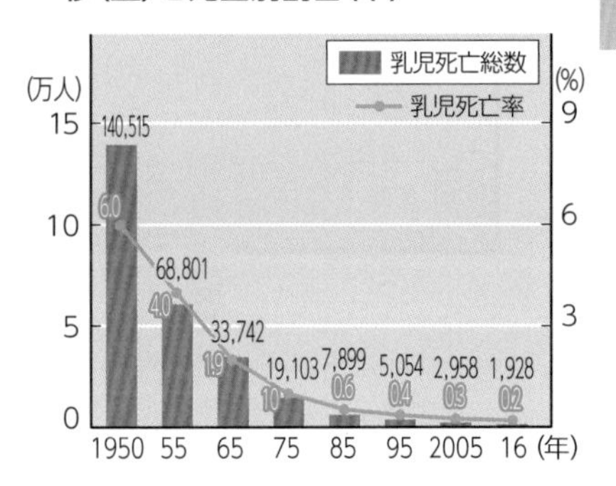

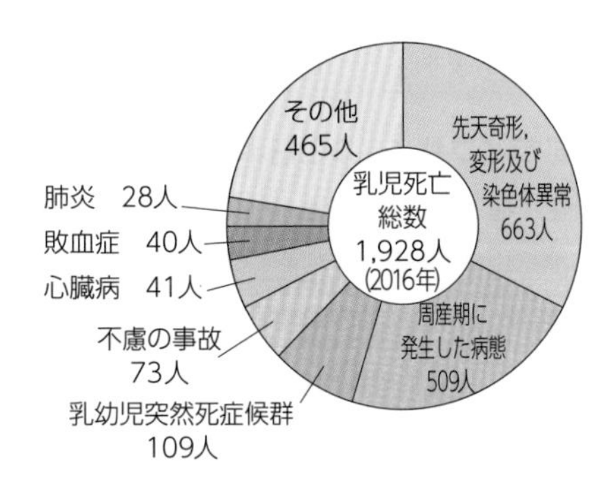

※厚生労働省「人口動態調査」から作成。

3 男女別年齢階級別雇用形態

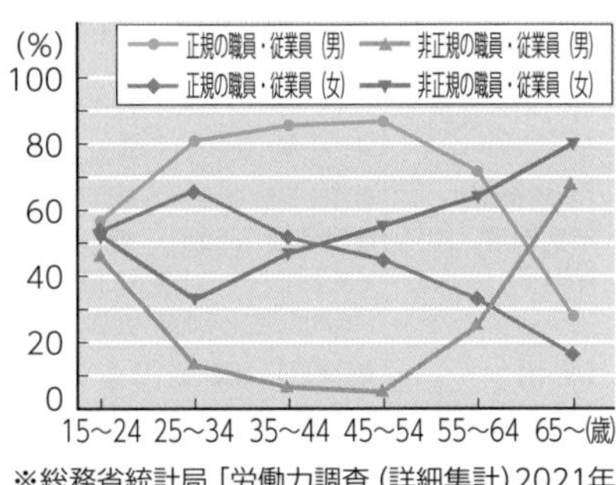

※総務省統計局「労働力調査(詳細集計)2021年(令和3年)平均結果」より作成。

4 菅首相(当時)の所信表明演説の要旨(抜粋)

「私が目指す社会像は自助，共助，公助，そして絆だ。まずは自分でやってみる。そして家族，地域でお互いに助け合う。その上で，政府がセーフティーネットで守る。こうした国民から信頼される政府を目指していきたい。そのためには行政の縦割り，既得権益，悪しき前例主義を打ち破り，規制改革を全力で進める。国民のために働く内閣をつくり，国民の期待に応えたい。」

5 所得・資産・支出・運用

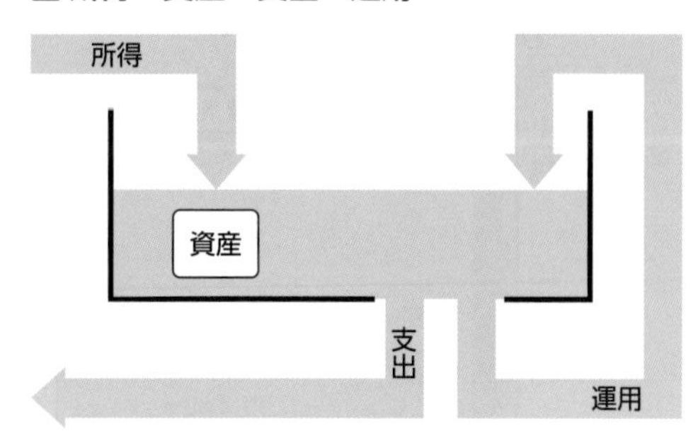

❶個人による資産運用を盛んにするため，iDeCo（2001年開始）やNISA（2014年開始）などの制度があります。

6 ライフサイクルと日本の社会保障

出生　6歳　12歳 15歳 18歳 20歳　40歳　50歳　60歳　70歳 75歳

就学前｜就学期｜子育て・就労期｜引退後

分類	内容（対象年齢）
【保健・医療】 健康づくり，健康診断，疾病治療，療養	●健診，母子健康手帳（出生前）●健診，未熟児医療，予防接種（出生～18歳）●事業主による健康診断（18歳～）●特定健診・特定保健指導（40～75歳）●医療保険（出生前～75歳）●長寿医療（75歳～）
【社会福祉など】 児童福祉，母子・寡婦福祉，老人福祉，障害者福祉，知的障害福祉，精神保健福祉	●保育所（出生～6歳）●放課後児童クラブ（6歳～10歳）●地域の子育て支援（出生～18歳）●児童手当（出生～12歳）●児童扶養手当（出生～18歳）●保護を要する児童への社会的養護（出生～18歳）●在宅サービス・施設サービス・社会参加促進・手当の支給（出生～）●介護保険（40歳～）
【所得保障】 年金制度，生活保護	●遺族年金（出生～）●障害年金（15歳～）●老齢年金（65歳～）●資産，能力などすべてを活用してもなお生活に困窮する者に対し，最低限度の生活を保障（出生～）
【雇用】 労働力需給調整，労災保険，雇用保険，職業能力開発，男女雇用機会均等法，労働条件	●職業紹介，職業相談（15歳～）●育児休業 ●介護休業 ●高齢者雇用（58歳～）●障害者雇用（15歳～）●働いて事故にあったとき，失業したときなど（15歳～）●公共職業訓練，労働者個人の自発的な職業能力開発を支援（15歳～）●男女雇用機会均等（15歳～）●最低限の労働条件や賃金を保障，労働者の安全衛生対策（15歳～）

※厚生労働省「平成20年版厚生労働白書」より作成。

3 所得と資産でどう生きていく？

私たち一人ひとりが，さまざまなリスクを念頭に置きながら，主体的に生きていくことは大切なことです。その際，現代社会では多くの人が**所得**と**資産**を組み合わせて生きていくことになります。所得とはさまざまな活動によって得た金銭であり，たとえば，企業などで働いて得る賃金のことです。また資産とはさまざまな形態で存在する財産のことで，たとえば**預金**のほか，証券・債券といった**有価証券**，あるいは土地・住宅といった**不動産**などのことです。現在政府は，金融の自由化を進める一方で**金融教育**を充実させ，個人や家計の単位での**資産運用**を盛んにしようとしています。[5❶]

失業して所得を得られなくなっても，しばらくは資産を取り崩すなどして生活していけるかもしれません。しかし，失業の背景に病気や障がいがあってなかなか再就職が難しく，新たな所得が得られなかった場合は，どのようにすればよいでしょうか。また，自分は健康であっても，家族の看護や介護があって再就職が難しい場合もあります。リスクは複合的に生じるのです。

そうした複合的なリスクに備えるためのさまざまなしくみが，日本社会ではある程度蓄積されています。[6] さまざまなライフサイクルのリスクに対して，心配しすぎては，何の挑戦もできない人生になるかもしれません。大切なのは，具体的なリスクの姿をきちんと見定めるとともに，それが現実になった場合の対処法を知ったうえで，果敢に自分の人生を切り拓いていくことでしょう。⇒ Work❸

Key Word

□平均寿命 □ライフサイクル □乳児死亡率 □ライフイベント □社会保障 □失業保険制度 □健康保険制度 □生活保護制度 □所得 □資産 □預金 □有価証券 □不動産 □金融教育 □資産運用

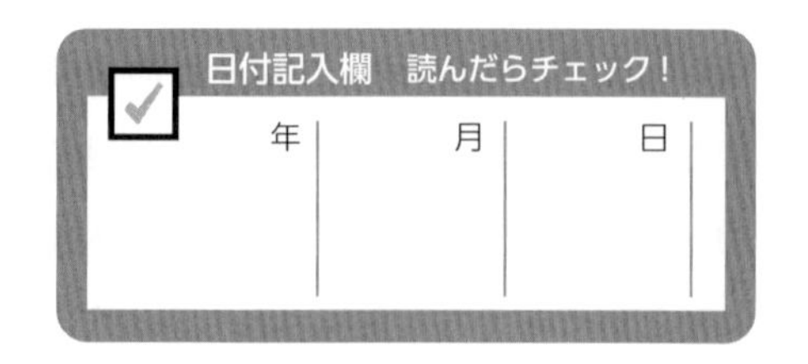

Work ❶〜❺に取り組んで，探究のテーマをみつけよう。

Work ❶　あなたにこれから訪れるライフイベントを想像し，そこにはどんなリスクが潜んでいるか考えてみよう。

Work ❷　「自助」「共助」「公助」の違いをまとめてみよう。

Work ❸　所得や資産で備えることができるリスクと，それ以外のリスクをそれぞれ考えてみよう。

Work ❹　事例について，気になったこととその理由を書いてみよう。

Work ❺　「ライフサイクル」について，詳しく調べてみたいことを書き出してみよう。

応用 Work

- ライフサイクルにおけるさまざまなリスクを調べ，そのリスクが生じる要因を考え発表しよう。また，どのようにすればそのリスクを低減・回避できるかを考え，あわせて発表しよう。
  プレゼンテーション
- ライフサイクルにおけるリスクに対し，自助で備えるべきか，公助で備えるべきか，理由とともに，400字以内であなたの意見を書いてください。 小論文

Case
事例 9

「食×テクノロジー＝フードテック」で食の問題を解決へ

テーマワード➡ **食料問題**

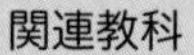
関連教科

地理歴史　公民　理科　家庭
国語　農業　商業　水産

SDGs の目標

食に関わる問題には何がある？

各国で食品ロスが問題化している

食品ロス

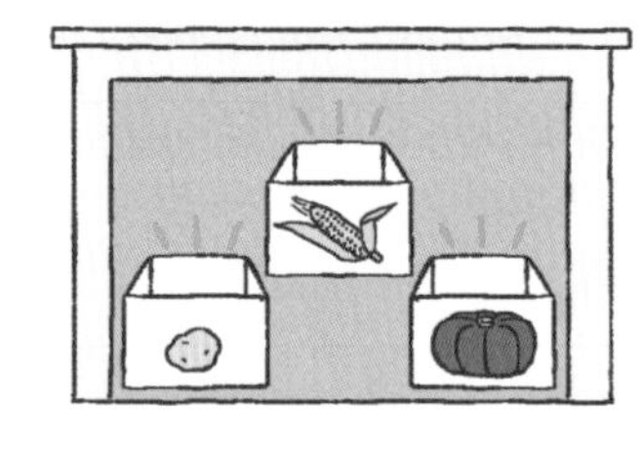

現代でも発展途上国では飢餓が起きている

食料不足

若者が農家を継ぎたい，農家になりたいと感じるようになる取り組みが必要

農業従事者の減少

Work 事例を読んで，気になった箇所にマーカーや下線を引こう。

食品ロスや**食料不足**など，食に関わる諸問題のことを**食料問題**といいます。ここでは，食料問題の解決についてみていきましょう。

1 フードテックによる課題解決

フードテック（food tech）とは，フード（食）とテクノロジー（ICT や AI などの技術）を組み合わせた言葉です。フードテックによって，食料問題が解決されることが期待されています。

ベースフードは，テクノロジーを活用して，**完全食**❶と呼ばれる体に必要な栄養素をバランスよく配合したパスタやパン［1］を製造・販売する企業で，小麦粉と水が原材料であったパスタやパンを約 10 種類の原材料からつくる配合や，健康に良いものは味気ないという常識を覆す「おいしい主食」を実現する製法，合成保存料を使わずに

❶完全栄養食ともいいます。

⬆［1］ベースフードが販売する「BASE BREAD」（2022 年 3 月現在）

長期間保存できる方法などを開発しました。

フードテックによる，農業の課題解決も期待されています。農家においては，**後継者不足**が大きな課題です。[2] 後継者不足の要因には，「農家はあまり儲からないというイメージがある」「職人技を簡単に承継できない」といったことが考えられます。

ミガキイチゴは一粒1,000円することもあるイチゴのブランドです。特徴的なのは，**とちおとめやあまおう**といった品種ではなく，産地や製法，技術の違いでブランド化した点です。[3] このビジネス・モデル（business model）は2013年にグッドデザイン賞も受賞しています。ミガキイチゴを展開する株式会社GRAは，職人技をデータ化し，ICTで栽培を管理することで，高品質で安定したイチゴを農業初心者でも栽培できるようにし，農業従事者を増やそうとしています。⇒ **Work❶**

2 食品ロスを削減するアプリ「TABETE」

TABETEは，食品ロスを解消するために株式会社**コークッキング**が提供するアプリ（サービス）です。飲食店が「天気が悪いせいでお客さんが来なくて料理が余りそう」「食材を仕入れすぎた」といった状況になったとき，TABETEに出品すると，ユーザーがアプリで料理や食材を購入し，指定の時間に店まで取りに行くというしくみです。[4] TABETEは，ユーザーは無料で利用することができ，飲食店は出品して売れた場合に利用料を支払います。

農林水産省の推計では，日本の食品ロス量は年間で約600万トンです。[5] 食品ロスは，廃棄する際にエネルギーを使うため環境への負荷が高まったり，廃棄する食品の分だけ売上が下がって経済損失を生み出したりと負の側面があります。

⇒ **Work❷**

[2] 農業従事者数の推移

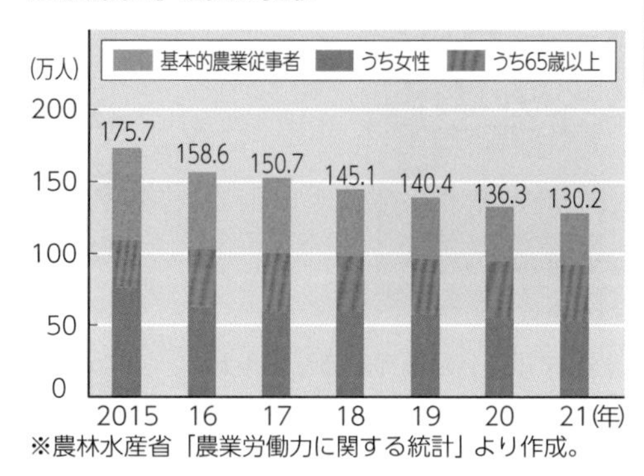

※農林水産省「農業労働力に関する統計」より作成。

[3] ミガキイチゴの商品ラインナップ（左）とPR MOVIE（右）

[4] TABETEのサービス概況

1店舗あたり 平均流通額	28,312円 (2022年1月　時点)
TABETE利用後 店舗再訪率	35.2% (2020年11月TABETEによるアンケート調査 n=1,306)
食品ロス削減率 ※平均マッチング率（購入数/出品数）	52% (2022年1月　時点)
推定食品ロス削減量 (推定TABETEレスキュー量)	累計10.3トン (2022年1月　時点)
推計CO_2削減量	累計28.3トン (2022年1月　時点)

※「株式会社コークッキングウェブサイト」より作成。

[5] 食品ロス量の推移

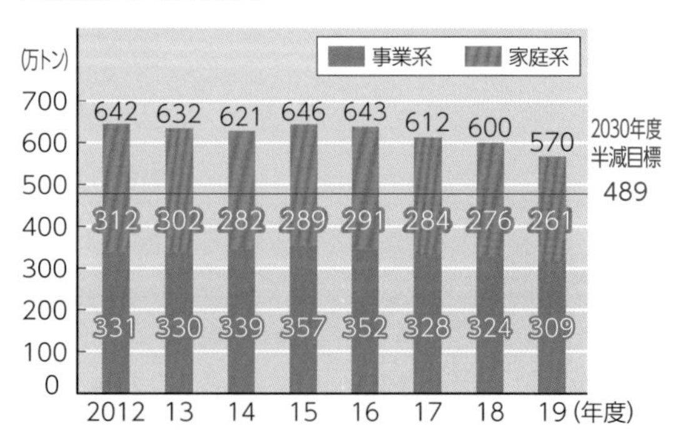

※環境省「我が国の食品ロスの発生量の推計値（令和元年度）の公表について」より作成。

3 食料不足を解消する代替プロテイン

世界的に人口が増えている今日，「人々の胃袋をどう満たすのか」は大きな課題です。私たちが健康な生活を送るために欠かせない栄養素の１つである**たんぱく質**は，主に食肉によって摂られています。食肉は畜産によってもたらされますが，畜産は飼料や空調管理といったエネルギー消費量が多いことに加えて，**品種改良**による飼育期間の短縮などをこれ以上進めることが難しくなっており，食肉に依存したたんぱく質の確保には課題が生じています。

そのため，近年**大豆ミート**[6]などの**代替プロテイン**❷に注目が集まっています。今までも豆腐ハンバーグなどがありましたが，大豆ミートはテクノロジーによって「大豆で肉の食感や味を再現する」ことを目指しています。[7]**カレーハウス CoCo 壱番屋**や**モスバーガー**などさまざまな飲食店で大豆ミートを使った商品が開発されています。[8]

代替プロテインは，健康志向の強い人に好まれるだけではなく，**ベジタリアン**や**ヴィーガン**❸といった食に関する主義を持つ人や信仰する宗教で禁じられているため肉が食べられない人，アレルギーを持つ人たちにとって，重要なたんぱく源にもなります。

また**昆虫食**も代替プロテインです。近年，**コオロギせんべい**[9]や**コオロギチョコ**[10]も販売されており，昆虫食の普及も目指されています。

⇒ Work❸

⬆[6] マルコメが販売するレトルトの大豆ミート

❷プロテインとは，たんぱく質のことです。

⬆[7]「【おいしい大豆のお肉の使い方】大豆ミート料理研究家　坂東万有子先生インタビュー」(マルコメ公式チャンネルより)

⬆[8] 大豆ミートのハンバーグ＆ココイチベジカレー

❸ベジタリアンは肉・魚を食べずに植物性食品を食べる人のことです。ヴィーガンはさらに，牛乳や卵，ハチミツなども食べません。そのため，ヴィーガンは「完全菜食主義者」と言われます。

⬆[9] コオロギせんべい

⬆[10] コオロギチョコ

Key Word

□食品ロス　□食料不足　□食料問題　□フードテック　□完全食　□後継者不足　□ビジネス・モデル　□たんぱく質　□品種改良　□大豆ミート　□代替プロテイン　□ベジタリアン　□ヴィーガン　□昆虫食

日付記入欄　読んだらチェック！
年　月　日

Work ❶〜❺に取り組んで，探究のテーマをみつけよう。

Work ❶ 食に関する新しいテクノロジーにはどのようなものがあるか，「フードテック」を検索ワードにするなどして調べてみよう。

Work ❷ 企業による食品ロスを減らすための取り組みについて調べてみよう。

Work ❸ 代替プロテインの開発に取り組む企業とその製品について調べてみよう。

Work ❹ 事例について，気になったこととその理由を書いてみよう。

Work ❺ 「食料問題」について，詳しく調べてみたいことを書き出してみよう。

応用 Work

- 日本および世界の食の問題とその解決を目的とするフードテックを調べて，発表しよう。また，あなたにとって関心がある食の問題を 1 つ取り上げ，その解決に向けた方策を考え，あわせて発表しよう。
  プレゼンテーション
- p.59 6食品ロスの推移を参考に，食品ロスを少なくするために生産者，企業や消費者がどのようなことに取り組んでいけばよいか，400 字以内であなたの意見を書いてください。 小論文

Case

事例 10 スマートシティを実現するための MaaS

テーマワード➡ MaaS

関連教科

地理歴史　公民　家庭　情報　国語　商業

SDGs の目標

スマートシティで実現すること

移動手段を一括管理

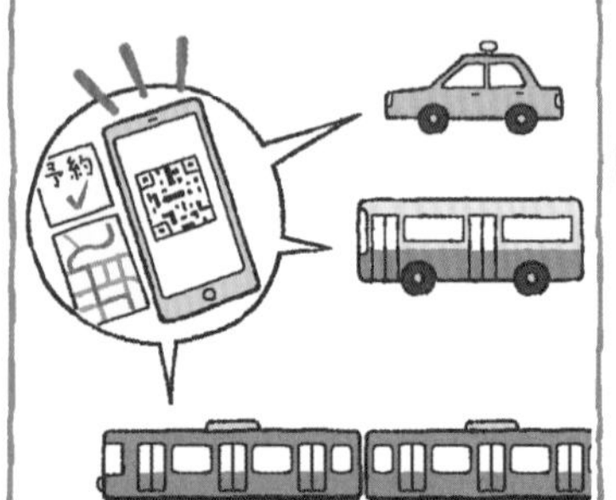

MaaS（サービスとしての移動手段）

キャッシュレス社会を実現

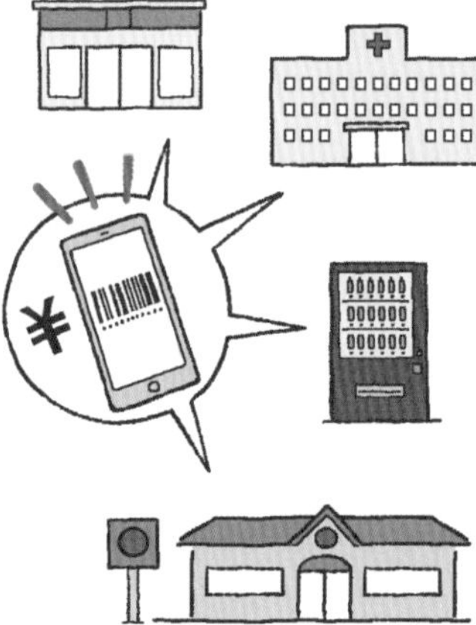

金融のデジタル化

地域の見守りを支援

防犯のデジタル化

遠隔教育の充実

教育のデジタル化

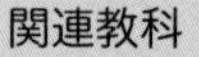

Work 事例を読んで，気になった箇所にマーカーや下線を引こう。

ここでは，**スマートシティ**（smart city）を実現するために行われている ICT の活用例の１つとして **MaaS**（Mobility as a Service）について学びます。私たちの「移動する体験」は，どのように便利に，楽しくなっていくのでしょうか。

1 スマートシティと MaaS

スマートシティとは，ICT を活用して，住民が等しく便利で豊かな生活を送れるようにすることをコンセプトとした都市や地域のことです。都市にあるモノがインターネットにつながることによって❶，データを連携し，医療・介護や教育から，金融やエネルギー，防災といった広範囲に至る都市のあらゆるサービスが向上することが期待されています。[1]

⬅⬆[1] 香川県高松市のプロモーション映像「スマートシティたかまつ」～データ利活用で未来のまちづくり～

スマートシティを実現させるため，交通に関してはさまざまな交通手段を組み合わせて快適な移動のサービスを提供する考え方であるMaaS❷が注目されています。私たちの生活において移動（モビリティ）がスマートになると，さまざまなメリットがあります。

たとえば，「○時の新幹線に乗ると，駅に着くのは△時で，観光地まで行くにはバスや電車を乗り継いで□時には着くはず！」というように，旅行を計画するときにさまざまなウェブサイトを調べて，苦労して旅程を決めたという経験はありませんか。移動ルートを決めるのは，かなり手間がかかります。そんなとき，出発地と目的地を入力すれば最適なルートが表示され，電車やバスの予約から支払いまでできる**アプリ**があったら便利だと思いませんか。自動車で移動する場合，カーナビやGoogleマップを使って最短ルートをみつけられれば，ガソリンの消費量を抑え，経済的にも環境的にも負荷が抑えられます。また，自動車同士がデータを連携して渋滞情報を共有化できれば，混雑する道路を避けてストレスのない移動が実現されるかもしれません。

こうした移動に関わる便利なサービスを提供する考え方がMaaSです。[2] ⇒ Work❶

❶モノのインターネット化をIoTといいます。

❷ MaaSは，Mobility as a Serviceを略した言葉です。

2 従来の移動とMaaS

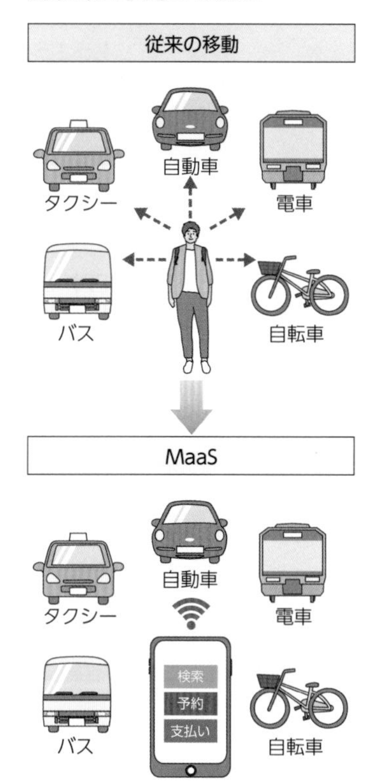

2 移動を便利にするアプリ「my route」

my routeは**トヨタファイナンシャルサービス**がMaaSを実現するために提供しているスマートフォンアプリです。[3][4]

my routeを利用できるエリアでは，行き先を決めて入力すれば，最適なルートと料金が確認できます。それだけではなく，電車やタクシーの予約と料金の支払いも可能で，移動ルートの近くのおすすめスポットや飲食店も表示されます。「あなただけのお出かけコンシェルジュ」というキャッチフレーズがついているように，自分だけの移動ルートが表示され，支払いまでアプリだけで完了できます。my routeの特徴の1つは，**トヨタ自動車**の系列会社がアプリを提供しているにもかかわらず，競合企業である**日産自動車グループ**などのレンタカーやシェアカーも利用できる点です。⇒ Work❷

3 my routeの機能

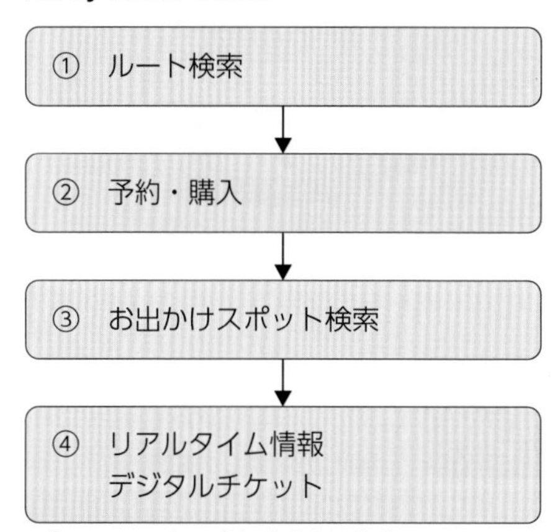

※「my routeウェブサイト」より作成。

⬅4 お出かけアプリ「my route」コンセプト映像

3 MaaSによる課題解決

MaaSは，現代において「移動」が抱えるさまざまな課題を解決する可能性があります。ここでは，その課題解決を２つ取り上げます。

１つ目は，「移動を楽しくする」ということです。新幹線や飛行機での移動は，「いかに目的地に早く着くか」ということに焦点が合わされていました。しかし，近年ではさまざまな地域で**観光列車**が走り始め，「ゆっくりと移動して景色や地元の文化を楽しむ」ことも重視されています。青森県と秋田県を結ぶ五能線を走る**リゾートしらかみ**は，**世界遺産**の**白神山地**を眺められる観光列車で，23駅の間，乗客が景色を楽しめるようにゆっくり走ります。5 6

２つ目は，「**地域交通**の衰退による移動の格差を埋める」ことです。**モータリゼーション**❸ (motorization) によって，特に地方では自家用車が主な交通手段になりました。そのため，ローカルバスやローカル電車などの地域交通は利用者が減り，廃止や減便などを余儀なくされました。そのため，高齢化が進んで車の運転が難しい高齢者の割合が増えた地域でも，自家用車が無いと生活できない状況が生まれました。ですが，MaaSによってさまざまな交通手段を組み合わせれば，自家用車に頼らない生活が実現する可能性があります。**西鉄**グループが提供するオンデマンドバス❹**「のるーと」**は，コールセンターやスマホアプリを使って，乗りたいときにバスを呼べるサービスです。7 乗り降りできる地点（ミーティングポイント）は決まっていますが，路線バスのバス停と比べて数多く配置されており，また，時刻表にしばられず，好きなタイミングでバスに乗ることができます。8 価格帯はバスとタクシーの中間に設定されており，バスではありますがタクシーのような利便性を低価格で実現しています。⇒ Work ❸

⬆5 海岸沿いを走るリゾートしらかみ

⬅⬆6「JR東日本　のってたのしい列車　リゾートしらかみ篇」

❸モータリゼーションは，自家用車が生活必需品として，広く家庭に普及することです。

❹ここでのオンデマンドは，需要に基づいた，という意味です。

⬆7 走行する「のるーと」

⬅8 オンデマンドバス「のるーと」乗り方・降り方紹介

Key Word

□スマートシティ　□MaaS　□アプリ　□観光列車　□世界遺産　□地域交通　□モータリゼーション

日付記入欄　読んだらチェック！

年　月　日

Work ❶〜❺に取り組んで，探究のテーマをみつけよう。

Work ❶　スマートシティの取り組みを行っている自治体を調べ，その内容をまとめてみよう。

Work ❷　旅行だけでなく通学なども含めて，みんなの「移動」に関する不満を書いてみよう。

Work ❸　地域交通の現状と問題点を，学生や高齢者の立場から考えてみよう。

Work ❹　事例について，気になったこととその理由を書いてみよう。

Work ❺　「MaaS」について，詳しく調べてみたいことを書き出してみよう。

応用 Work

- MaaS を活用したスマートシティの取り組みを調べ，その地域の人々にどのような影響があるかを考え，発表しよう。また，MaaS をはじめとしたスマートシティによりこれからの生活にどのような変化があるかを考え，発表しよう。 プレゼンテーション
- 利用者の減少に伴う，地域交通の廃止や減便などにより生ずる移動の格差について説明し，それを是正する取り組みを考えて，400 字以内で書いてください。 小論文

Case 事例 11

「混ぜる」だけで終わらないダイバーシティ

テーマワード➡ダイバーシティ

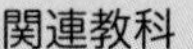

関連教科

地理歴史　公民　家庭　国語　商業

SDGs の目標

Work 事例を読んで，気になった箇所にマーカーや下線を引こう。

ダイバーシティ(diversity)とは，「多様性」を意味する言葉です。ビジネスの世界では，性別，年齢，国籍，障がいの有無，価値観の違いなどを超えて，多様な人材が集まった状態をダイバーシティと呼びます。

1 女性や高齢者が働きやすい環境

企業がダイバーシティへの取り組みを進める背景には，**少子化**(declining birthrate)**・高齢化**(population aging)や**グローバル化**(globalization)などがあります。企業は，労働人口の減少に対応し，国境を越えた企業間競争で勝ち残るため，多様な人材を活用することが求められています。[1]

ダイバーシティへの取り組みの一環として，女性や高齢者が働きやすい環境の整備が進められています。千葉銀行は，1986 年に国内銀行で初めて女性支店長が誕生するなど，従来から女性活躍推進

[1] 非正規雇用と正規雇用の男女別割合

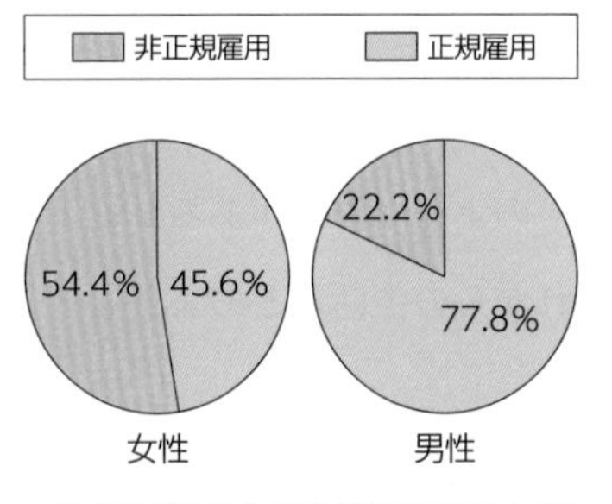

※総務省「労働力調査（詳細集計）」(2020年)より作成。

に取り組んでいます。女性の積極登用，男女ともに働きやすい職場づくりを進めた結果，女性の活躍する領域も増えました。以前は男性が中心だった渉外業務❶でも，女性の渉外担当者が活躍しています。千葉銀行は，2021年7月時点で，役員に占める女性の割合が21.4%，管理職に占める女性の割合は25.5%に達しています。2

新型コロナウイルス感染症(COVID-19)への対応では，学校の臨時休校や保育園の休園などにより出勤が困難な職員に対して，職場への**子連れ出勤**を可能にしました。性別を問わず仕事と育児を両立できる環境づくりを行い，子育て中の職員をサポートする制度の整備が進んでいます。また，高齢者の雇用もダイバーシティへの取り組みの1つです。3多くの企業が「60歳で定年，65歳まで再雇用可」という制度を導入するなかで，ファスナー製造などを展開するYKKグループは2021年4月より国内事業会社で定年制度を廃止しました。YKKグループは，企業活動の価値基準に「公正」があると考えており，年齢を基準とした一律退職である定年制度や，再雇用で給料が下がるような処遇は「公正ではない」と考えました。定年制度を廃止することで人件費は高くなりますが，若手社員へのスキルやノウハウの伝達が期待されます。⇒ Work❶

2 外国人や障がい者が働きやすい環境

社内の公用語を英語としている楽天では，70を超える国と地域の従業員が在籍しています。そのなかでも，**ムスリム**（イスラム教徒）をはじめ，多様なバックグラウンドを持つ従業員が増えたことから，本社オフィスには宗教や宗派を問わず誰でも利用できる祈祷室が設置されています。また，カフェテリア（社員食堂）では**ハラル料理**（イスラムの戒律で許された料理）も提供されています。4

日本人従業員が日本語の表現を学ぶことで，外国人従業員とのコミュニケーションを円滑にしようとする企業もあります。フリマアプリ大手の**メルカリ**は，主に日本人従業員に向けて「やさしい日本語」の講座を開催しています。「1つの文を短く，はっきり最後まで言う」「あいまいな表現や敬語は使わない」など，「やさしい日本語」の講座では，日本語を母語としない従業員にわかりやすく伝えるための表現方法がレッスンされています。

❶渉外業務とは，企業に直接訪問して取引を広げる提案をしたり，新規顧客を開拓したりする仕事です。

2 上場企業の役員に占める女性の割合の推移

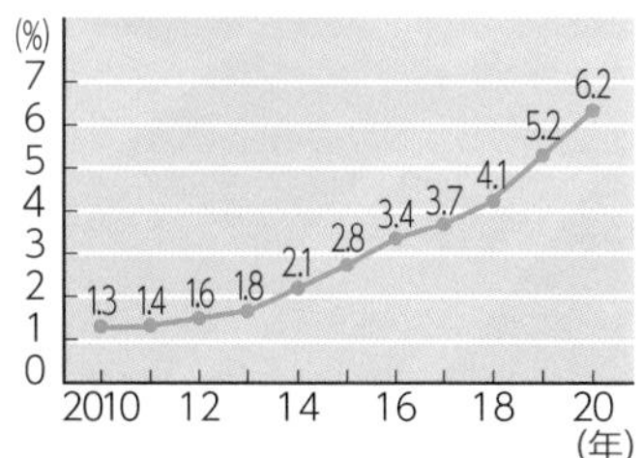

※内閣府「男女共同参画白書　令和3年版」(2021年)より作成。

3 60歳以上の就業率の推移

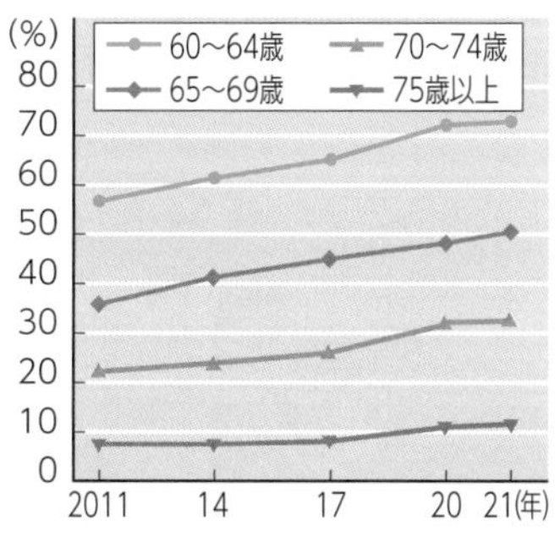

※厚生労働省「令和4年版高齢社会白書」より作成。

⬆4 楽天本社オフィスに設置された，祈祷室(上)と社員食堂で提供されるハラル料理(下)。

⬆5 スターバックスの nonowa 国立店における手話による接客(上)と指さし用のメニュー（下）

障がいのある従業員が中心となって働くカフェもあります。**手話**（sign language）を使って店員とやり取りする店舗は**サイニングストア**と呼ばれています。東京都国立市にある**スターバックス**の nonowa 国立店は，国内の**スターバックス**で初のサイニングストアです。この店舗では，聴覚に障がいのあるパートナー（従業員）と障がいのないパートナーが一緒に働いています。従来の店舗よりも照明を明るくし，カウンターは胸の下まで見えるように低く設計されています。これらはいずれも，手話，筆談，指さしを使ったコミュニケーションを円滑に行うための工夫です。5 ⇒ Work 2

3 「混ぜる」から「認め合う」へ

ダイバーシティを推進するメリットとして，新たな視点による**イノベーション**（innovation）が生まれることや，多様な人材に応じた人事制度や職場環境が整備されることなどが挙げられます。

これまでの日本の企業では，健康な中高年までの日本人の男性が多数を占めており，こうした人々の価値観が根強く残っています。そのため，ダイバーシティの推進で多様な人材が採用されても，従来の価値観や役割に従うよう同調圧力が働いたり，従業員の個性を無視した働き方を求められたりすることがあります。多様な人材を混ぜるだけではなく，多様な人材が理解し合い，認め合い，活かされた状態を意味する**インクルージョン**（inclusion）への取り組みが重要です。

映画『リトル・マーメイド』では，海の世界で生きる人魚姫のアリエルと，人間の世界で生きるエリック王子が恋に落ちます。エンディングで，人魚姫のアリエルは人間になり，エリック王子と結婚し，海の世界の住人たちに別れを告げます。ダイバーシティとインクルージョンの視点で振り返ると，人魚のまま恋を実らせることができなかったアリエルの結婚は，ハッピーエンドとはいえないかもしれません。⇒ Work 3

映画『リトル・マーメイド』は，陸の世界（人間の世界）と海の世界が分断されたままで物語が終わってしまいます。なぜ人魚姫のアリエルは，人魚の姿で結婚できなかったのでしょうか。

Key Word

□ダイバーシティ □少子化 □高齢化 □グローバル化 □新型コロナウイルス感染症 □子連れ出勤 □ムスリム □ハラル料理 □手話 □サイニングストア □イノベーション □インクルージョン

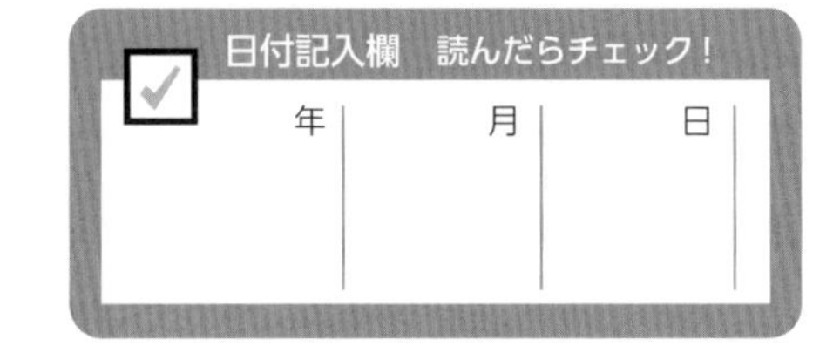

Work ❶〜❺に取り組んで，探究のテーマをみつけよう。

Work ❶　女性や高齢者が働きやすい職場とはどのようなものか考えてみよう。

Work ❷　外国人や障がい者を積極的に雇用している企業について調べてみよう。

Work ❸　ダイバーシティに取り組む企業の課題について考えてみよう。

5　Work ❹　事例について，気になったこととその理由を書いてみよう。

Work ❺　「ダイバーシティ」について，詳しく調べてみたいことを書き出してみよう。

応用 Work

- ダイバーシティに取り組む企業を調べ，その取り組み内容について発表しよう。また，ダイバーシティを推進することで，企業にはどのようなメリットがあるか自分の考えをまとめて発表しよう。

10　プレゼンテーション

- ダイバーシティが実現されるために必要な事は何か，400 字以内であなたの意見を書いてください。

小論文

Case

事例 12 防災にもダイバーシティを

テーマワード➡防災

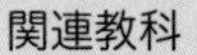

関連教科

地理歴史　公民　理科　家庭　国語　工業

SDGs の目標

自然災害って何？

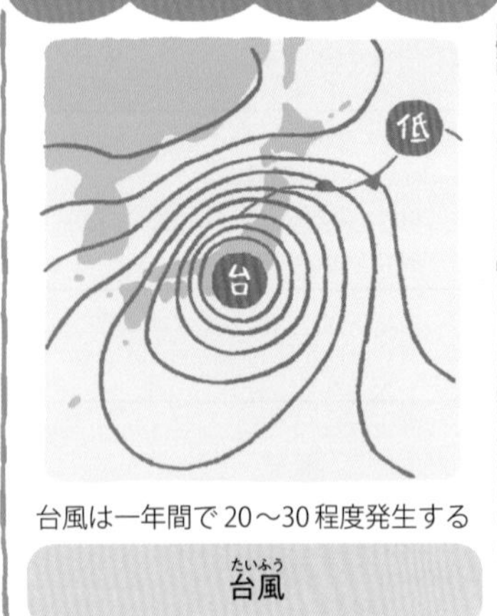

台風は一年間で 20～30 程度発生する

台風

近年，ゲリラ豪雨が増加しているといわれている

豪雨

防災のために監視・観測などの充実が必要な火山が日本には 50 ある

噴火

世界で起こる地震の約 10%が，日本とその周辺で発生している

地震

日本の国土の約50%は，豪雪地帯に指定されている

豪雪

Work 事例を読んで，気になった箇所にマーカーや下線を引こう。

多様性を意味するダイバーシティ（diversity）。防災（disaster prevention）にも，家族構成やライフスタイル，言語といったさまざまな「違い」に基づいた，多様な知識と備えが必要です。ここでは，ダイバーシティを重視した防災のあり方について考えていきましょう。

1 Yahoo! JAPAN「防災ダイバーシティ」

近年，台風や豪雨，地震といった**自然災害**によって甚大な被害に見舞われることが少なくありません。災害に対する備えには，避難経路・避難場所の確認や防災グッズの常備といったことが必要です。無印良品[1]をはじめ，さまざまな企業が防災グッズのセットを販売していますが，食料や懐中電灯など最低限必要なものが中心です。「自分にとって必要なもの」は人それぞれ違います。たとえば，車

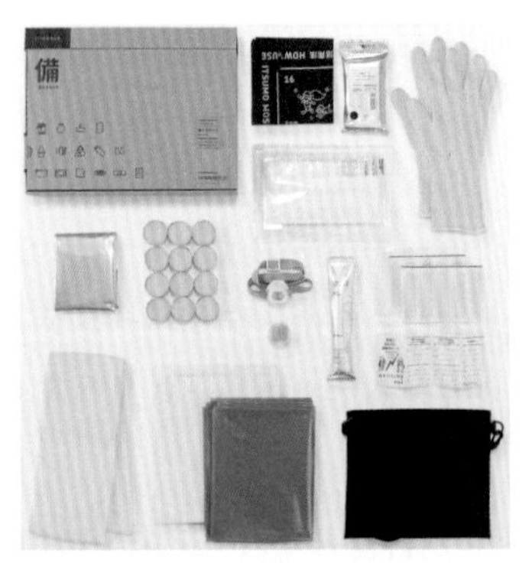

⬆[1] 無印良品の防災グッズ「いつものもしも　セット」

椅子のお年寄りを介護している場合，家族の一員であるペットと一緒に暮らしている場合，宗教上食べられないものがある場合，パートナーが同性の場合など，人によって事情はさまざまです。「そんな時に必要なもの／ことは？」に答えてくれるのが，Yahoo! JAPAN が特設サイトで展開する防災ダイバーシティです。４つのSTEP で質問に対する答えを選択肢から選ぶと，あなた個人に必要な備えを教えてくれます。たとえば，「赤ちゃんがいる家庭では離乳食を温めるためにカイロを用意しましょう」という内容のカードが表示されます。2 ⇒ Work❶

⬆2 防災ダイバーシティのカード。(上)は「＃小学生以下の子ども」，(下)は「＃オムツを使う」に応じた備えである。

2 外国人観光客にもわかりやすい防災アプリ「Safety tips」

日本在住の外国人や海外からの**観光客**に向けて自然災害に関する情報を提供することも重要です。その理由は２つあります。１つは，母国では地震や台風といった日本で多い自然災害に遭う頻度が低い国の人たちがいることです。慣れていれば震度２程度なら慌てませんが，地震を経験したことがない人たちにとっては怖いですし，どのように対応すればよいのかわかりません。もう１つは，警報の種類が多く，警報のレベルによってどのような行動をとればよいのかわかりにくいことです。

観光庁が監修してアールシーソリューション株式会社が提供するSafety tips は，外国人観光客にもわかりやすく災害情報を通知するアプリです。地震や津波，気象に関する警報を通知してくれ，英語だけではなくタイ語やタガログ語など**多言語**に対応しています。また，災害が起きたときにどのように対応・行動すればいいのかもフローチャート形式で教えてくれます。3 ⇒ Work❷

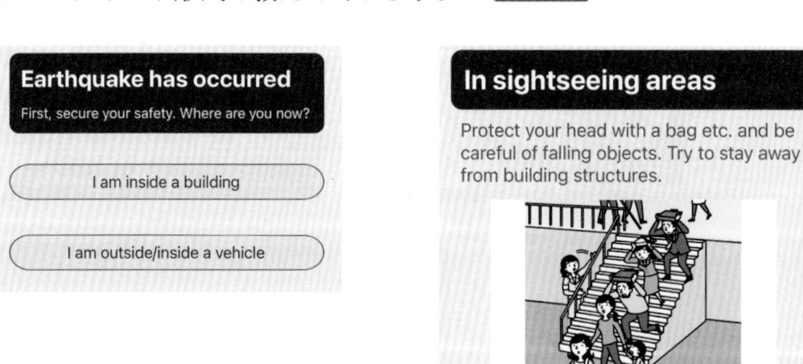

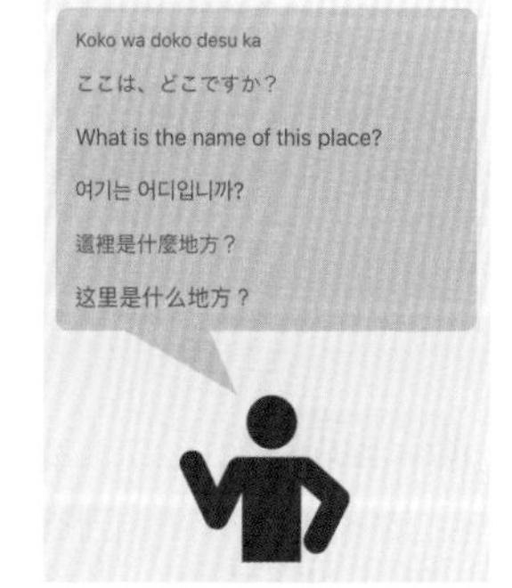

⬆3 Safety tips の各機能(抜粋)。避難フローチャート(左，中)，コミュニケーションカード(右)。

3 地域に合わせた防災情報の提供

防災情報を届けるために，NHKやさまざまな企業が**防災アプリ**を提供していますが，都道府県や市区町村で独自の防災アプリを提供していることもあります。たとえば，東京都の東京都防災アプリ[4]のように都道府県単位の防災アプリもあれば，岡山県瀬戸内市や静岡県沼津市といった市町村単位で，防災アプリを提供している場合もあります。瀬戸内市防災アプリでは，災害情報の入手だけでなく，安否情報の登録・確認も行えます。都道府県レベルの情報では，地域が広範囲になるため，自分たちの市区町村には関係のない情報まで入ってきます。市区町村レベルで，自分が住んでいる地域に限定された情報のほうが便利な側面もあります。

近年では，宅地建物取引業法の施行規則の一部改正によって，水害ハザードマップの対象地域における不動産の取引では水害リスクに関する説明をすることが必要になりました。**東京スカイツリー**がある墨田区は，荒川と隅田川に挟まれており，ほぼ全域が浸水想定区域です。そのため，**水害ハザードマップ**の作成に力を入れ，さまざまな情報をパンフレット形式で区民に提供しています。[5] ⇒ Work ❸

⬆[4] 東京都防災アプリの画面

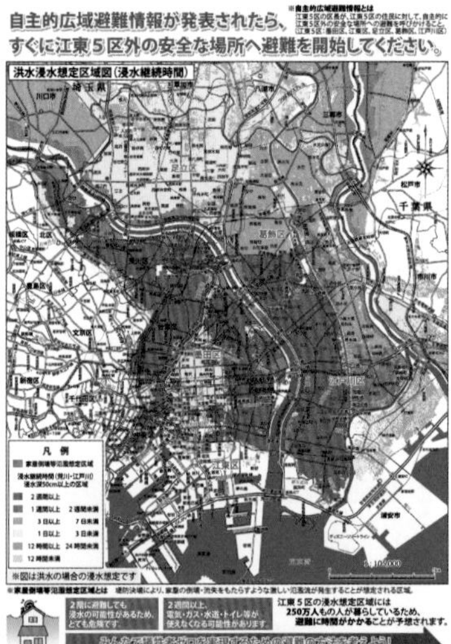

➡[5] 江東5区大規模水害ハザードマップ（墨田区，江東区，江戸川区，葛飾区，足立区）

日付記入欄　読んだらチェック！

年　月　日

Key Word

□ダイバーシティ　□防災　□自然災害　□観光客　□多言語　□防災アプリ

Work ❶〜❺に取り組んで，探究のテーマをみつけよう。

Work ❶ 自分の家が災害に対してどのような備えをしているか，確認してみよう。

Work ❷ 日本に不慣れな外国人に対して，日本での災害時にどのようなことができるか考えてみよう。

Work ❸ 自分の住んでいる地域や近隣地域の防災アプリや水害ハザードマップを調べてみよう。

5 **Work ❹** 事例について，気になったこととその理由を書いてみよう。

Work ❺ 「防災」について，詳しく調べてみたいことを書き出してみよう。

応用 Work

- 自分が住む地域で災害が起こった際に避難する防災拠点を調べ，そこに住民が避難した際にダイバーシティの点から配慮すべきことを考えて発表しよう。 プレゼンテーション

10
- あなたの地域で防災について取り組みたいことを，理由を含めて，400字以内で書いてください。

  小論文

Case

事例 13 私たちは「世代」でくくれるのかな？

テーマワード➡ 世代論

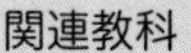

関連教科

地理歴史　公民　家庭　国語　商業

SDGs の目標

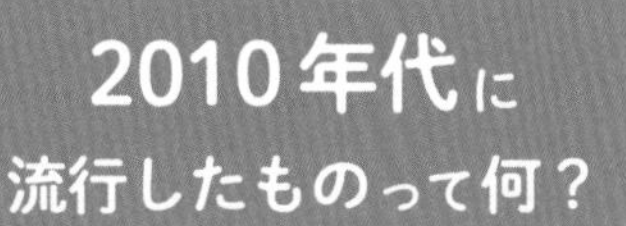

2014 年に映画公開（日本）

アナと雪の女王

2017 年に発売

Nintendo Switch

2012 年にコミック連載開始
2013 年にゲーム化

妖怪ウォッチ

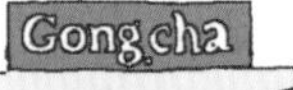

第三次タピオカブーム

タピオカ

2017 年に初代アプリの開始（日本）

Tik Tok

Work 事例を読んで，気になった箇所にマーカーや下線を引こう。

いつの時代にも若者をある一定の枠組みで語ろうとする**世代論**があります。代表的な世代には，「団塊」「シラケ」「バブル」「団塊ジュニア」「ポスト団塊ジュニア」「ゆとり」「Z」があります。世代論で若者をくくることの意味について考えていきましょう。　5

1 若者を理解するのに便利な「世代論」

1995 年頃から 2010 年頃までに生まれた世代は，Z 世代と呼ばれます。Z 世代の特徴は「モノよりもコト(経験)を重視する」[1]「多様性を重視し自分らしさを追求する」「コスパが大事」「周りから浮くのを怖がる」といったことが言われます。「あなたは Z 世代です。だからこういう特徴ですね！」と言われて，実感として納得できますか。　10

⬆[1]「インスタ映え」を意識したコト消費(志摩スペイン村)

若者を世代でくくる背景の１つには，**マーケティング**における「ターゲット」という考え方があります。新商品を開発するときに，「今の若者はＺ世代で，こういう特徴があるので，この商品を開発すれば若者に売れます」と言うと，ターゲットの姿が明確になり，わかりやすくなります。[2]

世代論の良い点は，このように「若者をわかりやすく理解できる」ところです。**ジェネレーション・ギャップ**という言葉があるように，年齢を重ねると，若者を理解したくても育った環境が違うため，共通の知識や経験がなく困惑します。その際に役立つのが「今の若者はこういう世代です」というレッテルです。⇒ Work ❶

2 消費の主役は若者

もう１つの背景は，団塊世代が若者だった**高度経済成長期**の 1960～70 年代にかけて，若者が日本の成長を牽引して，独自の文化を形成していたことにあります。ファッションでは，三つボタンのブレザーが象徴的な**アイビールック**[3]，ミニスカートやジーンズなど，欧米のスタイルが好まれました。音楽ではビートルズがはやり，『ぴあ』や『anan』『non-no』などの雑誌が創刊されました。団塊世代は，サラリーマンや OL として企業で働き，生産の中心的な担い手となりました。一方，私生活では若者文化をつくり，消費を先導する存在でした。

現在でも，若者は流行の発信源であり，消費の主役だと考えられています。Twitter や Instagram，Tik Tok といった SNS で「バズる」と商品がヒットすることも少なくありません。

ただ，Ｚ世代は世代でつながるよりも「推し」でつながることが多いようです。[4] SNS を通じて，同じ趣味や好意の対象を共有できるコミュニティに閉じこもっている側面もありそうです。最近は「世代で若者をひとくくりにする」という考え方も難しい状況にあるのかもしれません。⇒ Work ❷

⬆[2] ミレニアル世代やＺ世代に響くデザインをまとめた『ミレニアル+Ｚ世代の心に響くデザイン』(パイインターナショナル)

[3] アイビールック

[4] SNS で友達になる際に重視すること

Q. あなたが「SNS」で友達になる際に重視していることを教えてください（複数回答）

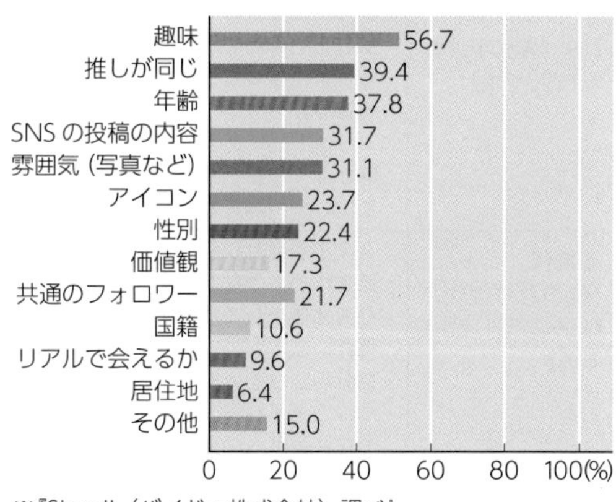

※『Simeji（バイドゥ株式会社）調べ』

TOKYO CULTURE STORY ／ BEAMS 40 周年記念動画『今夜はブギー・バック』MV で，ファッションやカルチャーの 40 年間の変遷を知ることができるよ。

3 各時代における「みんな」を示す世代論

世代 【生まれた年】	特徴	若者時代に流行したもの	若者時代に流行した言葉	象徴的なビジュアル
団塊世代 【1947〜1949年】	・同世代が多いため，競争意識と仲間意識が強い。 ・「三種の神器」と呼ばれる製品が生まれるなど，アメリカの近代的生活にあこがれている。	・鉄腕アトム ・『ぴあ』『anan』『non-no』 ・アイビールック，ジーンズ，ミニスカート ・ビートルズ ・**資生堂「MG5」【右写真】**	・ジェネレーション・ギャップ ・わかっちゃいるけどやめられない ・お呼びでない ・Oh！モーレツ！	
シラケ世代 【1950年代〜1960年代半ば頃】	・兄弟姉妹が少ないので社会性や協調性がとぼしい。一人っ子も増えた。 ・熱中することがカッコ悪いと思っている。	・宇宙戦艦ヤマト ・『POPEYE』（シティボーイ）『JJ』（お嬢様系，ニュートラ，ハマトラ） ・サザンオールスターズ，ユーミン（松任谷由実） ・**カップヌードル【右写真】**，マクドナルド	・私作る人，僕食べる人 ・普通の女の子に戻りたい ・ウーマン・リブ，独身貴族，脱サラ ・ナウい ・ジャパン・アズ・ナンバーワン	
バブル世代 【1960年代半ば頃〜1960年代末頃】 **団塊ジュニア世代** 【1971年頃〜1974年頃】	・出世欲や向上心が強く，ブランド品を好む。 ・バブル景気のなかで貯蓄よりも消費を優先する意識が根付く。	・機動戦士ガンダム，うる星やつら，ドラえもん，タッチ ・『CanCam』『ViVi』 ・X JAPAN，中森明菜，尾崎豊 ・マハラジャ，ジュリアナ東京（ディスコ），**バブルファッション【右写真】** ・東京ディズニーランド，ファミコン，写ルンです	・ぶりっ子 ・オタク ・アッシー，メッシー ・胸キュン ・義理チョコ ・三高（高身長・高学歴・高収入） ・新人類	
ポスト団塊ジュニア世代 【1970年代半ば頃〜1980年代半ば頃】	・就職氷河期を経験しており，現実主義的で，上の世代の価値観に疑問を持っている。 ・自分探しや自己啓発を好む傾向。海外志向も強い。	・キャプテン翼，北斗の拳，ドラゴンボール，スラムダンク ・『少年ジャンプ』『egg』『Cawaii!』（ギャル文化） ・SMAP，安室奈美恵，宇多田ヒカル，浜崎あゆみ，モーニング娘。 ・**ビックリマンチョコ【右写真】**，コンビニエンスストア，カラオケ	・セクシュアル・ハラスメント ・オバタリアン ・同情するなら金をくれ ・自分で自分をほめたい ・マイブーム ・カリスマ	
ゆとり世代 （ミレニアル世代） 【1980年代半ば頃〜1995年頃】	・同世代の人間関係において空気を読むことに慣れているため，周囲とうまくなじむことができる。 ・ブランド品にあまり興味がなく消費者欲求もとぼしい（消費離れ）。	・美少女戦士セーラームーン，ポケモン，新世紀エヴァンゲリオン ・『nicola』（ローティーンファッション） ・AKB48，GReeeeN，EXILE ・**たまごっち【右写真】**，ポケモン，遊戯王，mixi，ファストファッション，iPhone	・IT 革命 ・パラパラ ・ドメスティック・バイオレンス ・冬ソナ ・クールビズ ・萌え〜 ・新型インフルエンザ	©BANDAI
Z世代 （脱ゆとり世代） 【1995年頃〜2010年頃】	・スマホが当たり前にある世代で，つながりよりも発信をして承認を得たい欲求が強い。 ・自分らしさを大事にしつつ，ダイバーシティや社会貢献への意識も強い。	・けいおん！，進撃の巨人，君の名は。，鬼滅の刃 ・乃木坂46，西野カナ，official髭男dism，米津玄師 ・『Star Creators！』 ・**タピオカミルクティー【右写真】**，メルカリ，YouTube，Instagram，Tik Tok，妖怪ウォッチ，ウマ娘	・イクメン ・スマホ ・聖地巡礼 ・ブラック企業 ・PPAP ・爆買い ・保育園落ちた日本死ね ・タピる	

⇒ Work ③

Key Word

□世代論　□マーケティング　□ジェネレーション・ギャップ　□高度経済成長期

日付記入欄　読んだらチェック！

年　月　日

Work ❶〜❺に取り組んで，探究のテーマをみつけよう。

Work ❶　自分たちの世代の特徴について分析し，ほかの人と共有してみよう。

Work ❷　SNS がなかった時代は，何が流行をつくり出す手段だったか考えてみよう。

Work ❸　過去の流行やブームから気になったものを 1 つとりあげ，なぜそれが流行やブームになったのか考えてみよう。

Work ❹　事例について，気になったこととその理由を書いてみよう。

Work ❺　「世代論」について，詳しく調べてみたいことを書き出してみよう。

応用 Work

- 興味のある分野（音楽，映画，ファッション，ゲーム，アイドル，お笑い，流行語，ヒット商品など）を 1 つ選び，それぞれの時代に流行したものを調べて発表しよう。また，調べたことから世代ごとの特徴を考えて発表しよう。 プレゼンテーション
- SNS を利用するメリットとデメリットについて書き，SNS を適切に利用するために必要なことは何か，400 字以内であなたの意見を書いてください。 小論文

Case

事例 14 ありのままで生きる

テーマワード➡ LGBTQ

関連教科

地理歴史　公民　家庭　国語　外国語

SDGs の目標

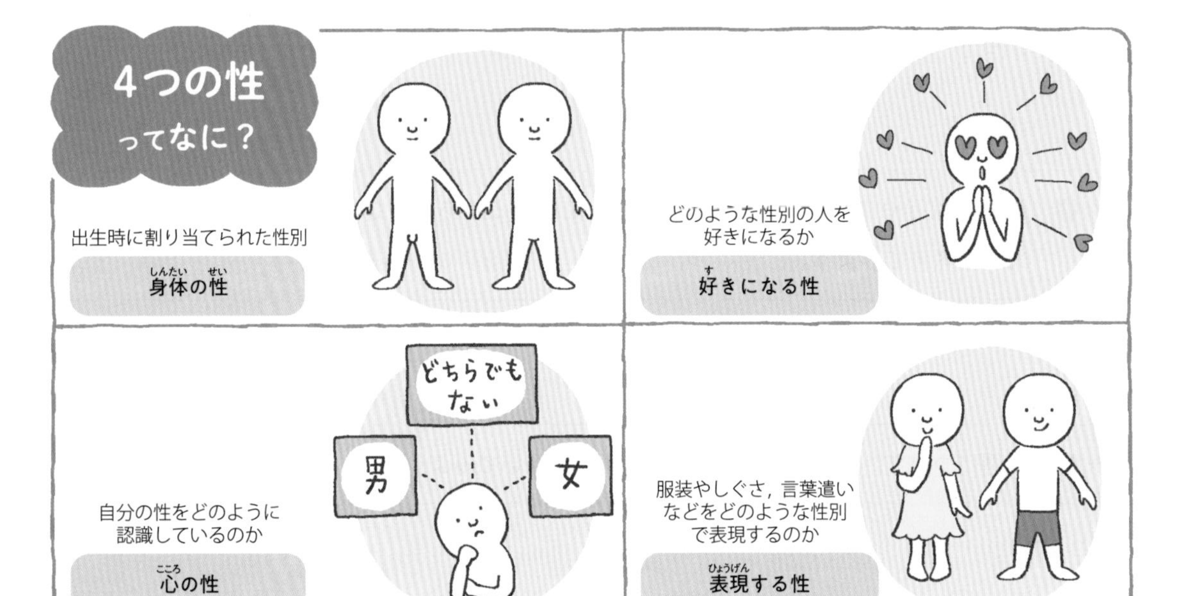

Work 事例を読んで，気になった箇所にマーカーや下線を引こう。

電通ダイバーシティ・ラボの「LGBTQ+ 調査 2020」によると，日本の全人口に占める**性的少数者**の割合は 8.9% です。この割合はおよそ 11 人に 1 人であり，左利きの人とほぼ同じ割合です。

1 性のあり方はグラデーション

性的少数者を表現する言葉の 1 つに **LGBTQ** があります。女性で恋愛対象も女性の人が**レズビアン**，男性で恋愛対象も男性の人が**ゲイ**[1]，恋愛対象が男性にも女性にもなる人が**バイセクシュアル**，生まれたときに医師に言われた性別に違和感を抱いている人が**トランスジェンダー**，自分の性のあり方が定まっていない人が**クエスチョニング**です。そして，もともとは「奇妙な」「風変わりな」を意味し，性的少数者の総称として使われるようになったのが**クィア**です。

⬆[1] 中年ゲイカップルの日常と食卓を描いた漫画，よしながふみ『きのう何食べた？』(講談社)は，ドラマ化もされ大きな反響を呼びました。

LGBTQは，これらの頭文字を並べたものです。

性のあり方は，「身体の性」❶（出生時に割り当てられた性別）だけで決められるわけではありません。自分の性をどのように認識しているのかという「心の性」（**性自認**），どのような性別の人を好きになるのかという「好きになる性」（**性的指向**），服装・しぐさ・言葉遣いをどのような性別で表現するのかという「表現する性」の組み合わせで，性のあり方は構成されています。

歌手の**宇多田ヒカル**さんは，Instagramのライブ配信で自身が「ノンバイナリー」(non-binary)であると公表しました。ノンバイナリーとは心の性と表現する性が女性・男性の枠組みにとらわれない人です。

2020年4月から**お茶の水女子大学**と**奈良女子大学**は，戸籍上は男性でも，自分の性を女性と認識している学生を受け入れるようになりました。**東京2020オリンピック**でも，性別適合手術で男性から女性に変更した重量挙げの選手が女子選手として出場しています。性のあり方は，はっきりとした境目がない**レインボーカラー**(rainbow color)（マルチカラー(multicolor)）のグラデーションであり，一人ひとり異なります。[2]

性の多様性に向き合う動きは企業においても広がっています。2020年12月，文房具・事務用品メーカーの**コクヨ**は，性別欄のない履歴書を発売しました。就職活動中の学生などから，性別を明らかにすることを望まない声が高まっているためです。**東京ディズニーランド**と**東京ディズニーシー**は，園内アナウンスを「レディース・アンド・ジェントルメン(Ladies and Gentlemen)，ボーイズ・アンド・ガールズ(Boys and Girls)」から「ハロー・エブリワン(Hello Everyone)」へ変更し，性差のない中立的な表現を使用するようになりました。⇒ Work❶

2 ありのままで生きることの難しさ

自身が性的少数者であることを周囲の人に伝える行為である**カミングアウト**(coming out)をすることで，自分を偽ることなく，ありのままで生きたいと願う人たちがいます。[3] その一方で，人間関係の変化や否定的な反応をおそれて，カミングアウトできない人たちもいます。約15,000人の性的少数者を対象とした「LGBT当事者の意識調査」の結果によると，職場や学校でカミングアウトをしている当事者は27.6%でした。

❶「女性（男性）ならばこういう身体」という固定観念で，身体の性を決めることはできません。人によっては男女両方の身体的特徴をもって生まれてくることもあれば，どちらかに判別することが難しい場合もあります。

アニメ『HUGっと！プリキュア』で，「表現する性」の規範にとらわれない男の子の若宮アンリは，女の子のヒロインとされてきたプリキュアに変身しました。

⬆[2] 東京2020オリンピックの開会式で，偏見や差別をなくしたい思いを持って，性の多様性を象徴するマルチカラーのドレスを着て歌う歌手のMISIAさん。

⬅[3] LGBTQ100人カミングアウト2021【すべての人に結婚の自由を】

④ 親へのカミングアウト状況（年代別）

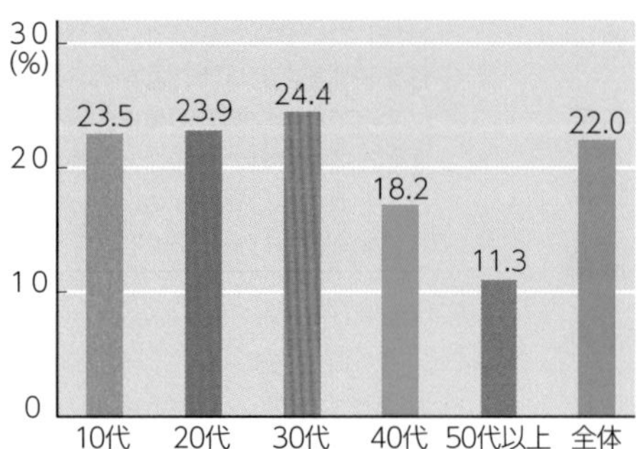

※日高康晴「LGBT 当事者の意識調査」(2016 年) より作成。

地域でみると都市部はカミングアウトをする割合が高く，対象でみると職場や学校よりも親にカミングアウトをする割合のほうが低くなる傾向がありました。④

自分の性のあり方を隠さざるを得ない状態は，洋服ダンスに押し込まれている状態にたとえられて，**クローゼット**（closet）と呼ばれます。映画『アナと雪の女王』で主人公のエルサは，触れるものを凍らせてしまう魔法の力を隠しながら，孤独な生活を送っていました。このエルサの生き方は，性的少数者の間で共感を呼び，「Let it Go」はクローゼットの状態から抜け出した「ありのままの自分」を歌う曲としても受け入れられました。⑤ ⇒ Work ❷

⬆⑤「Let it GO」を歌い，「ありのままの自分」を解放したエルサ。

3 アウティング

アウティング（outing）とは，本人の許可なく，性的少数者であることを他人に暴露する行為のことです。この言葉を世に広めるきっかけとなったのが**一橋大学アウティング事件**です。

男子学生が同級生の男性に好意を抱いて告白すると，同級生の男性は，9 名のクラスメイトが参加する LINE グループに「おまえがゲイであることを隠しておくのは無理だ」というメッセージを投稿しました。アウティングされた学生は体調不良をきたすようになり，その後校舎から転落死してしまいます。⑥

ほかにも，「あの子はトランスジェンダーだから配慮してあげてね」など，善意で共有したはずの情報が，結果としてアウティングになることもあります。また，「部活の顧問の先生に相談したら，部員に伝わってしまった」「会社で上司に相談したら，同僚に広まってしまった」というアウティングの事例も数多くあります。いつ・誰に・何を・どのようにカミングアウトするかは当事者本人が決めるべきことです。⇒ Work ❸

⬆⑥一橋大学アウティング事件の裁判を見守ってきた，ライターの松岡宗嗣さんが執筆した書籍『あいつゲイだって』（柏書房）です。アウティングをめぐる問題が整理されています。

Key Word

□性的少数者　□LGBTQ　□レズビアン　□ゲイ　□バイセクシュアル　□トランスジェンダー　□クエスチョニング　□クィア　□性自認　□性的指向　□レインボーカラー　□カミングアウト　□クローゼット　□アウティング

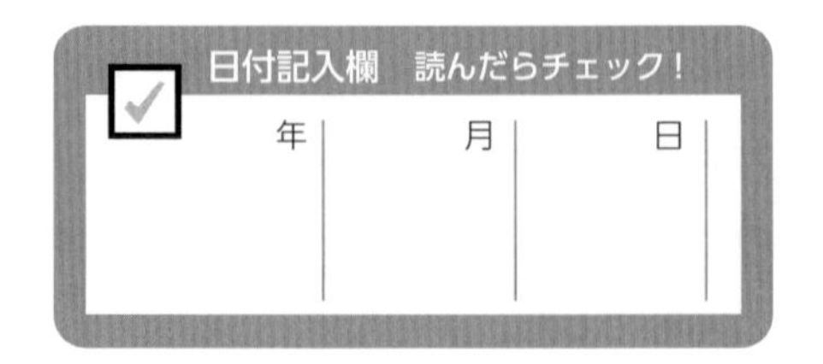

Work ❶〜❺に取り組んで，探究のテーマをみつけよう。

Work ❶　本文で挙げた事例のほかに，性の多様性に対する配慮がなされた事例について調べてみよう。

Work ❷　LGBTQの当事者が性のあり方をクローゼットにする理由について調べてみよう。

Work ❸　アウティングがなぜ問題なのか，LGBTQの当事者と非当事者の視点から考えてみよう。

Work ❹　事例について，気になったこととその理由を書いてみよう。

Work ❺　「LGBTQ」について，詳しく調べてみたいことを書き出してみよう。

応用 Work

- 日常生活のなかで，LGBTQの人にとって配慮に欠けると感じる制度や施設，考え方について調べたり，考えたりしたことを発表しよう。 プレゼンテーション
- 事例の文章とWorkを経て，あなたが考えたことを400字以内で書いてください。 小論文

Case
事例 15

「買う」から「借りる」へ,「売る」から「貸す」へ

テーマワード➡ シェアリング・エコノミー

関連教科

公民　情報　国語　芸術　商業

SDGs の目標

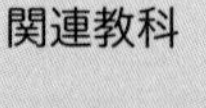

シェアリング・エコノミー(sharing economy)とは,「活用可能な資産(場所・モノ・スキル等)と,それを使いたい個人等を結び付けるサービス」(消費者庁, 2019, p.1)です。ここでは,シェアリング・エコノミーの概要と私たちの生活に与える影響について考えましょう。

⬆[1] ビジネスの世界でもアートの効果に注目が集まっています。たとえば,東京の天王洲エリアでは,地元企業や行政が協力しアートを活用した街づくりを推進し新たな来街者を呼び込むことに成功しています。©TENNOZ ART FESTIVAL2019 Art Work by Yusuke ASAI, Photo:shin hamada

1 本物のアートを生活のなかに

新型コロナウイルス感染症(COVID-19)の流行により,在宅時間が長くなりました。気分転換や暮らしの質の向上のために,自宅をリノベーションしたり,部屋の模様替えをしたりする人も多く見られました[1]。そうした需要を受け,利用者数を急速に伸ばしたサービスの1つに絵画のレンタルを展開するCasie(カシエ)があります。

Casie はアーティストから絵画作品を 1 万点以上預かっており，利用者はそのなかから自分の好みに合うものをレンタルすることができます。料金は月額税込 3,300 円(レギュラープラン)の定額制で，利用者は月に最大 1 回の頻度で絵画を交換することが可能です。多くの場合，絵画作品は高額です。そのため，消費者は絵画作品を気軽に購入することはできません。しかし，Casie の登場により，消費者は比較的手頃な価格で本物のアートを生活に取り入れられるようになったのです。[2][3] ⇒ **Work ❶**

⬆[2] Casie のウェブサイトトップページ

⬅[3] 現代アートのサブスク／Casie コンセプト PV

2 アーティストの活動をサポート

消費者にとって高額な絵画作品の購入が難しいということは，画家にとっては絵画作品を販売し，金銭を得るのが難しいことを意味します。Casie を創業した藤本翔さんによると，国内で創作活動を行う約 80 万人（職業芸術家・会社員などとして働きながら創作活動を行う人の合計）のうち，それだけで生計を立てられる人の割合は 10% に満たないといいます。自身の作品の販売に苦労している画家にとって Casie は有益なサービスです。Casie では売上の一部が作品の貸し手である画家に還元されるため，画家にとっては新たな収入源となるからです。また，Casie は従来の個展などとは違った形で，画家の作品に触れるきっかけを消費者に提供しており，画家のファンづくりにも一役買っています。[4] ⇒ **Work ❷**

⬆[4] Casie に登録しているアーティスト NIM さんの作品『ホオズキ【花魁】』

❶シェアリング・サービスと呼ぶ場合もあります。

3 シェアリング・エコノミーの現状

Casie は絵画作品の貸し手（画家）のニーズと借り手（利用者）のニーズを**マッチング**(matching)させることで，双方にとって新たな価値を提供しました。こうしたサービスをシェアリング・エコノミー❶といいます。Casie は「素敵な絵」を描ける画家と「素敵な絵を自宅などに飾りたい」利用者とを結び付けています。このように，シェアするもののつくり手（売り手）と利用者（買い手）を結び付ける企業を**プラットフォーマー**(platformer)[5]といいます。消費者の意識が「所有」から「利用」へと移り変わる今，Casie 以外にもさまざまなシェアリング・エコノミーが展開されています。

[5] プラットフォーマーとは

シェアリング・エコノミーの事例として，**アイカサ**というサービスをみてみましょう。**アイカサ**は，駅や商業施設など約 1,000 か所以上に傘を借りることができるスポットを設置しています。利用者は，雨が降ってきたら近くのスポットで傘を借り，使い終わったらどこのスポットでも返すことができます。[6] 利用者には，雨に備えて傘を携帯しなくてよいという利便性があります。さらに，利用料金は 24 時間で 70 円であり，傘を購入するよりも安価です。必要なときに傘を借りられるサービスがあることで，急な雨のたびに傘を購入し，不要な傘のゴミを増やすおそれもありません。ゴミの削減効果も期待できる**アイカサ**は地球環境にとっても優しいものです。

傘はアイカサが用意したものであり，利用者同士で傘を貸し借りするのではない点が Casie とは異なるね。

[6] アイカサのしくみ

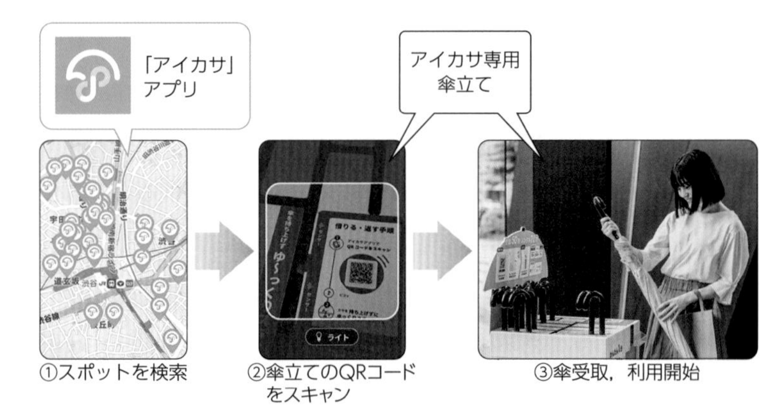

①スポットを検索　②傘立てのQRコードをスキャン　③傘受取，利用開始

ただし，シェアリング・エコノミーの利用にあたっては注意も必要です。[7] シェアリング・エコノミーには，取引する相手が企業ではなく，個人であるサービスが多くあります。ビジネスのプロである企業に比べて，個人間の取引（CtoC：Consumer to Consumer）では，期待していた品質のサービスを提供してもらえないといったリスクが高まる傾向にあります。シェアリング・エコノミーの利用者は，サービス提供者が信頼に値するかをクチコミなどで事前に判断したり，問題が発生した場合にプラットフォーマーが補償などの対応をしてくれるかを確認したりする必要があります。[8] ⇒ **Work ③**

←[7]『あんぜん・あんしんシェアリング・エコノミー利用ガイドブック』（消費者庁）は，利用の際の参考になります。

[8] シェアリング・エコノミーを利用する際の注意点

モノのシェアリング・サービスでは，「自分が思っていたのと異なる商品が届いた」「返金に応じてもらえない」といったトラブルも報告されています。

Key Word

□シェアリング・エコノミー　□新型コロナウイルス感染症
□マッチング　□プラットフォーマー　□CtoC

日付記入欄　読んだらチェック！
年　月　日

Work ❶〜❺に取り組んで，探究のテーマをみつけよう。

Work ❶　在宅時間が長くなったことで，利用者が増えたサービスを調べてみよう。

Work ❷　絵画のほかに何を貸し出したら人気が出そうか考えよう。

Work ❸　利用者と提供者双方の立場から，シェアリング・エコノミーの利点と注意点について考えてみよう。

Work ❹　事例について，気になったこととその理由を書いてみよう。

Work ❺　「シェアリング・エコノミー」について，詳しく調べてみたいことを書き出してみよう。

応用 Work

- 身近にあるシェアリングに向いている資産の活用方法を具体的に考えて発表しよう。

  プレゼンテーション

- さまざまな場所・モノ・スキル等のシェアリング・エコノミーが展開されるなかで，あなたがシェアせず個人で保有したいものは何ですか。そう思う理由もあわせて，400 字以内で書いてください。

  小論文

Case

事例 16 自分の「いのち」を決めるのは誰か？

テーマワード➡ **生命倫理**

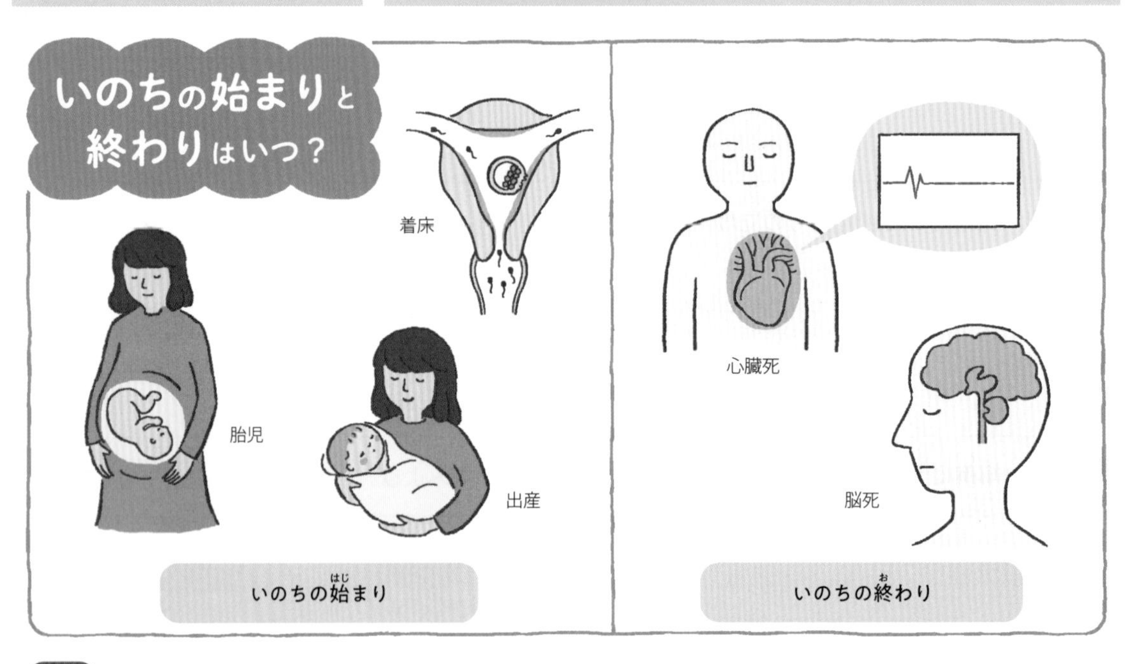

Work 事例を読んで，気になった箇所にマーカーや下線を引こう。

自分の「いのち」を決めるのは誰でしょうか。自分の「いのち」であっても，自分で決められない場合が数多くあります。「いのち」に関する考え方である**生命倫理**（bioethics）について考えていきましょう。

1 「いのち」の始まり

NHKの調査で，「人の『いのち』はいつ始まるのでしょうか」と質問したところ，「胎児（おなかのなかにいるとき）」が最も多い回答でした。[1] 近年，胎児の健康状態や先天性の異常などを調べる**出生前診断**が普及しつつあります。出生前診断で胎児が元気であることを知った妊婦は，安心して出産にのぞめるようになりました。しかし，検査をすれば胎児の異常がみつかる場合もあります。その結果，胎児の異常を理由として，出産を断念する妊婦がいます。

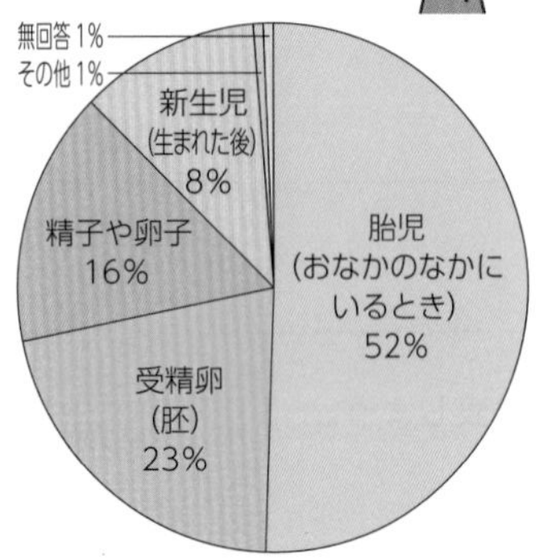

⬆[1] 日本では人の「いのち」がどの時点から始まると考えられているのでしょうか。（NHK「『生命倫理に関する意識』調査」2014 年より）

また，「理想の赤ちゃん」をつくろうとする技術も進んでいます。受精卵の段階で**遺伝子操作**[2]などを行うことによって，親が望む容姿や能力を持たせた子どもを**デザイナーベビー**(designer baby)といいます。2018年には中国の研究者が，生命の設計図である**ゲノム**❶(genome)を編集した受精卵から双子の赤ちゃんを誕生させました。

ポケットモンスターシリーズのミュウツーは，遺伝子操作によって戦闘力が極限まで高められたポケモンです。「私は誰だ。誰が生めと頼んだ。誰がつくってくれと願った。私は私を生んだ全てを恨む」と，ミュウツーは自分を生み出した人間に対して復讐を決意します。将来生まれてくるデザイナーベビーのなかには，ミュウツーと同じ苦しみを味わう子どもたちがいるかもしれません。⇒ **Work❶**

⬆[2] アニメ『機動戦士ガンダムSEED』は，遺伝子操作されていない人類（ナチュラル）と，遺伝子操作で頭脳と肉体を強化した新人類（コーディネイター）が対立した近未来を描いた作品です。

❶ゲノムとは，遺伝子をはじめとする遺伝情報全体のことです。

2 「いのち」のつながり

心臓や肺，肝臓など，臓器に重い病気を抱え，生きるためには**臓器移植**を受けるしか方法がない人がいます。臓器移植とは，臓器の機能が低下し移植でしか治らない人に臓器を移植し，健康を回復しようとする医療です。臓器の提供者は**ドナー**(donor)と呼ばれています。

日本では，1997年に**臓器移植法**❷が成立し，臓器移植をする場合に限って，従来の**心臓死**ではなく**脳死**❸を「人の死」と認め，脳死と判定された人からほかの患者への臓器移植が可能になりました。[3] 臓器移植法の改正に伴い，2010年7月からは「臓器移植を前提とする」という条件が撤廃され，脳死が一律に「人の死」となりました。さらに，本人の意思表示が明白でなくても，家族の承諾があれば脳死と判定された人の臓器を提供できるようになりました。

臓器移植法の改正は，脳死状態の臓器提供数が増加した点で成果がありましたが，[4] 問題もあります。たとえば，臓器提供の決断を迫られる家族の精神的負担が大きい点です。本人による臓器提供の意思表示がない場合は，家族が臓器提供を行うか決断しなければなりません。臓器を提供すれば，大切な人の心臓を止めることになります。内閣府の調査によれば，自分の家族が脳死下または心臓死下で臓器提供の意思表示が不明な場合，臓器提供を「承諾しない」は49.1％で，「承諾する」の38.7％を上回りました。本人が生前に意思表示していた場合は「尊重する」が87.4％でした。⇒ **Work❷**

❷正式には「臓器の移植に関する法律」です。

❸脳死とは，脳のすべての働きがなくなった状態です。どんな治療をしても回復することはなく，人工呼吸器などの助けがなければ心臓は停止します。回復する可能性がある植物状態とは全く別の状態です（日本臓器移植ネットワークのウェブサイトより）。

[3] 日本における脳死下ドナー数の推移

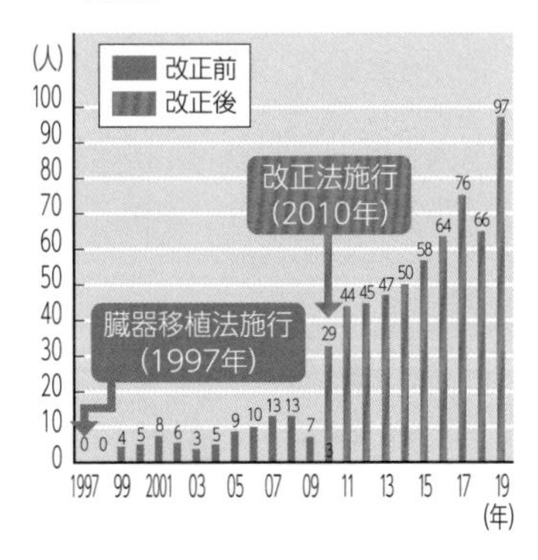

[4] 提供できる臓器の違い

脳死後	心臓死後
肺，肝臓，腎臓，膵臓，小腸，眼球，心臓	腎臓，眼球，膵臓

3 「いのち」の終わり

医療技術の発達で延命治療が可能になり，「いのち」の終わりがみえにくくなるなか，**安楽死**をめぐる議論が活発になっています。5 助かる見込みのない患者が，医師の助けを借りて，自らの意思により死を選ぶのが**積極的安楽死**です。それに対して，患者の意思により延命治療を中止して死を迎えるのが**消極的安楽死（尊厳死）**です。

日本では，医師の判断のもと消極的安楽死を許容する動きがありますが，積極的安楽死は認められていません。2019 年には，安楽死を望む難病の患者に医師が薬物を投与し殺害した，ALS❹ (Amyotrophic Lateral Sclerosis) 嘱託殺人事件が起きました。患者と医師は SNS を通じて知り合い，安楽死の日時や費用の打ち合わせを重ねていました。手塚治虫の漫画『ブラック・ジャック』に，安楽死を請け負うドクター・キリコという登場人物がいます。この事件で逮捕された医師はドクター・キリコに憧れを抱いていました。

現在，オランダやベルギーなどでは，積極的安楽死が法的に認められています。スイスでは医師が致死薬を処方し，患者が自ら服用して自死する，**医師による自殺ほう助**が合法化されています。スイスは外国人の希望者も受け入れているため，世界各国から死を望む人々が集まっています。

安楽死を議論するうえで焦点となるのが，自分の「いのち」を自分で決めることを意味する**患者の自己決定権**です。これは「治療を選択する権利」と考えられることが多いですが，「死ぬことを選択する権利」も含めるべきだという意見もあります。しかし，**患者の自己決定権**には曖昧な部分もあります。たとえば，周囲から安楽死をするよう説得されて，自己決定という名のもとに患者が安楽死を選択してしまう可能性があります。また，認知症の患者は自分の意思で安楽死を選択することが難しいといえます。⇒ Work❸

⬆5 映画『世界一キライなあなたに』は，安楽死・自殺ほう助を扱った作品です。交通事故で四肢麻痺となり生きる希望を失った青年ウィルと，介護人として雇われたルーの切ない恋が描かれています。ある日，ヒロインのルーは，ウィルの決めた「生きる時間」が 6 か月であることを知ってしまいます。

❹筋萎縮性側索硬化症（ALS）とは，体を動かすのに必要な筋肉が徐々にやせていき，力が弱くなって思うように動かせなくなる病気です。（略）一般的に症状の進行は速く，個人差は非常に大きいですが，人工呼吸器を使用しなければ発症から 2〜5 年で死に至ることが多いといわれています（メディカルノート「筋萎縮性側索硬化症」より）。

スイスには「死の付添人」と呼ばれる人たちがいます。死を望む患者の元に致死薬を届け，最期の日を迎えるまで患者本人や家族に寄り添うことが仕事です。スイス最大の自殺ほう助団体「エグジット」で働く付添人の大半は，現役を退いた 65 歳以上の人たちです。

Key Word

□生命倫理 □出生前診断 □遺伝子操作 □デザイナーベビー □ゲノム □臓器移植 □ドナー □心臓死 □脳死 □安楽死 □積極的安楽死 □消極的安楽死 □尊厳死 □医師による自殺ほう助

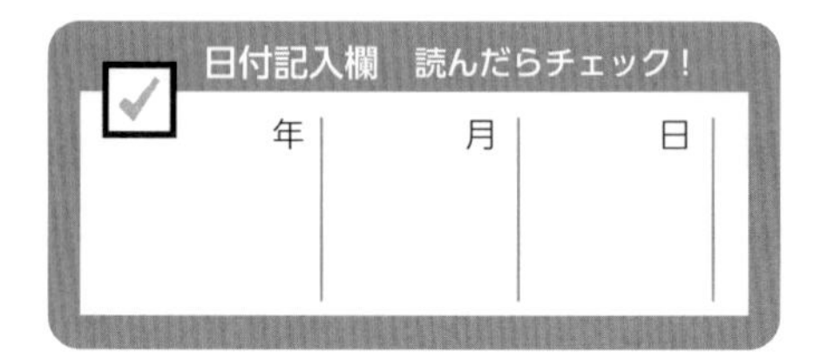

Work ❶～❺に取り組んで，探究のテーマをみつけよう。

Work ❶　デザイナーベビーの問題点について考えてみよう。

Work ❷　仮に，あなたの家族が脳死で臓器提供の意思表示が不明な場合，あなたは家族の臓器提供を承諾するか否かについて考えてみよう。

Work ❸　安楽死の現状について，日本と世界を比較しながら調べてみよう。

Work ❹　事例について，気になったこととその理由を書いてみよう。

Work ❺　「生命倫理」について，詳しく調べてみたいことを書き出してみよう。

応用 Work

- 日本や世界の臓器提供数を比較し，違いについて考察するとともに，臓器提供に関する自分の意見を発表しよう。 プレゼンテーション
- 積極的安楽死について，賛成か反対かを明らかにしたうえで，その理由を500字以内で書いてください。 小論文

第5章 キャリアと探究

この章では，みなさんのこれからの**キャリア**について考えてみましょう。ここまでに得た**探究**に関する知識やさまざまな事例を思い出しながら考えてみてください。

1 進路について，どうやって考える？

中学生の頃を思い出してみてください。進路について，どんなことを考えていましたか。きっと，「どの高校を志望するか，志望した高校に合格できるか」ということを考えていたでしょう。さて，高校卒業後の進路選びでは，より多くのことを考えなければなりません。就職するのか上級学校へ進学するのか，進学してもいずれは就職すると考えるなら，どんなことを学べる学校がいいのか…，考えなければならないことは数多くあるでしょう。高校生として進路を考えるうえで重要なことは次の２つです。

①具体的な**職業**をイメージすること

②その仕事に就くためには，「進学する必要があるのか」または「高校を卒業してすぐに就くことができるのか」を早い時期から時間をかけて考えていくこと

具体的な**職業**をイメージするためには，そもそもいろいろな**職業**について知らなければなりません。そのためには，本やインターネットを利用して自分で調べてみることはもちろん，インターンシップなどの職場体験に参加することや，実際に働いている人から話を聞くためにインタビューをすることなどが有効です。[1]

[1] 具体的な職業をイメージするには

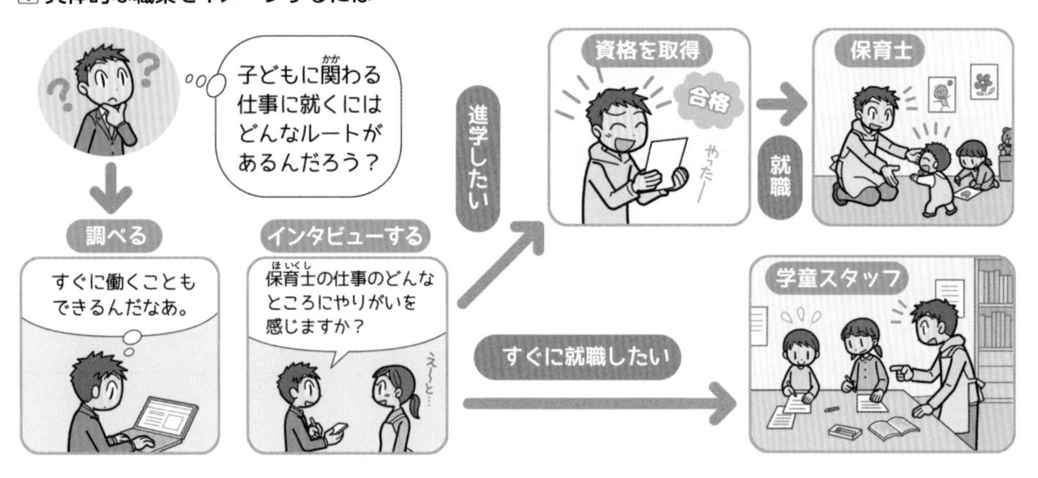

Work ❶ 今，気になっている具体的な職業を書いてみよう。

Work ❷ その職業に就くためにどうすればいいか理解できたかな？
できたらチェックしよう。 ☑

2 得意なことを活かせる職業は何か？

いろいろな**職業**について知ることができたら，そのなかでも「自分が得意とすることを活かせる**職業**はないだろうか」「興味のある分野に関係する**職業**はないだろうか」といった視点で考えてみてください[2]。みなさんのなかには気づいている人もいるかもしれませんが，働くことは，楽しいことばかりではありません。ときには，仕事を辞めたい気持ちになる社会人も少なからずいます。それでも，私たちは働かなくてはなりません。それは，働くことは自立するために必要不可欠なことだからです。

社会には，たくさんの仕事と**職業**があります。ここで，社会全体の仕事を個人個人で分担したものが**職業**であると考えてみてください。つまり，働くということは，社会の一員として，社会の活動に参加することになるのです。働かなくてはならないのだったら，自分の好きなこと，嫌いじゃないこと，できること，やってみたいこと，を仕事にしてはどうでしょう。みなさんが知っている**職業**は，社会に存在している**職業**のうちのごくごく一部です。ですから，**事例**や**探究**を通して，今まで知らなかった数多くの**職業**に，たくさん出会ってほしいと思います。

[2] 得意なこと・好きなことを活かした職業の例

Work ❶　将来の職業に活かせそうな，自分の得意なことを書いてみよう。

Work ❷　さらに得意になりたいと思うことを書いてみよう。

3 自分について考えてみよう

社会に存在する多くの**職業**を知ることができたら，自分についても考えてみてください。みなさんは，社会のなかでどのような役割を担うことができるでしょうか。といっても，いきなり社会全体という大きな規模で考えても，なかなかイメージしにくいと思います。まずは，文化祭での役割分担で考えてみましょう。文化祭ではクラスや部活動ごとに分かれて，さまざまな企画や発表に取り組むと思います。その際，メンバー全員が同じ役割を担うことはあまりないでしょう。展示物を作成するのであれば,「アイディアを出す人」「実際に組み立てる人」「組み立てた物に装飾を施す人」…。劇を公演するのであれば，「台本を書く人」「舞台装置を操作する人」「演じる人」…。それぞれが与えられた役割を果たすことで，最終的に1つの成果になります。[3]

3 それぞれが与えられた役割を果たす

職業においても，さまざまな役割やスキルが求められます。実際に，企業で働いている人全員が，同じ仕事をしているわけではありません。「社外の人とコミュニケーションをとることが求められる営業の仕事」「新たなアイディアや発想力が求められる開発の仕事」「緻密な作業や品質に関する正確性が求められる生産の仕事」「企業の財政状態を管理する経理の仕事」…。1つの企業のなかでも多くの役割が存在していることは，これまでに学んできたでしょう。また，そもそも社会にたくさんの企業が存在していることを考えれば，世のなかで求められている役割が大変多いことに気がつけるのではないでしょうか。さて，あなたはどのような役割で活躍することができそうですか？ 「○○がやりたい！」という自分の「**希望**」に加えて，「○○ができる！」という自分の「**適性**」についても意識することで，将来に向けてより深く考えることができるでしょう。

まとめワーク

このワークブックもここで一区切りです。最新時事の話題を確認しながら，**探究**について学んできましたが，どうだったでしょうか。とはいえ，**探究**はこれでゴールではありません。このワークブックで学んだことを活かして，これから関わるであろう多くの課題に挑戦していってください。

Work ❶　探究とはどのようなことか理解できたかな？　　できたらチェックしよう。 ☑

Work ❷　探究を行ううえで，大切だと思ったことを書いてみよう。

Work ❸　このワークブックのなかで，最も興味を持ったテーマを書いてみよう。

Work ❹　そのテーマを選んだ理由を書いてみよう。

Work ❺　自分の将来を考えて，解決したいテーマを書いてみよう。

Work ❻　そのテーマにはどのような課題があるかを書いてみよう。

Work ❼　その課題を解決するにはどのような方法があるかを書いてみよう。

Work ❽　その課題を解決するにはどのような仕事があるかを書いてみよう。

参考文献

書籍

石田仁（2020）『はじめて学ぶ LGBT 基礎からトレンドまで』ナツメ社.
奥野正寛（2017）『経済学入門』日本評論社.
片山俊大（2021）『超速でわかる！宇宙ビジネス』すばる舎.
川越修ほか（2010）『ワークショップ社会経済史』ナカニシヤ出版.
河野啓・村田ひろ子（2015）「日本人は " いのち " をどうとらえているか『生命倫理に関する意識』調査から」『放送研究と調査』2015 年 4 月号，https://www.nhk.or.jp/bunken/research/yoron/pdf/20150401_6.pdf（2022 年 7 月 16 日最終閲覧）.
小林亜津子（2011）『はじめて学ぶ生命倫理「いのち」は誰が決めるのか』筑摩書房.
阪本節郎・原田曜平（2015）『日本初！たった 1 冊で誰とでもうまく付き合える世代論の教科書「団塊世代」から「さとり世代」まで一気にわかる』東洋経済新報社.
田中宏隆・岡田亜希子・瀬川明秀 著・外村仁監修（2020）『フードテック革命 世界 700 兆円の新産業「食」の進化と再定義』日経ＢＰ.
電通美術回路編・若林宏保・大西浩志・和佐野有紀・上原拓真・東成樹（2019）『アート・イン・ビジネス ビジネスに効くアートの力』有斐閣.
長山靖生（2014）『「世代」の正体 なぜ日本人は世代論が好きなのか』河出書房新社.
日経産業新聞編（2020）『XaaS の衝撃 すべてがサービス化する新ビジネスモデル』日本経済新聞出版.
原口尚彰（2013）「生命倫理の視点から見た臓器移植法改正問題」『人文学と神学』4: 23-43.
原田曜平（2020）『Z 世代 若者はなぜインスタ・TikTok にハマるのか？』光文社.
日高洋祐・牧村和彦・井上岳一・井上佳三（2018）『MaaS モビリティ革命の先にある全産業のゲームチェンジ』日経ＢＰ.
松田純（2018）『安楽死・尊厳死の現在 最終段階の医療と自己決定』中央公論新社.

雑誌

大山繁樹（2021 年 10 月 18 日）「日経 X TREND 無印良品 第二の創業 下　巻き込まれて地域に貢献」『日経 MJ』，14 面.
「『団地再生』をビジネスにサステナブルな街を全国展開 東邦レオ 吉田啓助氏」『日経トップリーダー』（2021 年 9 月号），98-101.
西岡杏（2021）「スペシャルリポート 役目終えた人工衛星の衝突防げ　宇宙の SDGs、デブリ対策 日米欧の技術が離陸目前」『日経ビジネス』（9 月 6 日），46-50.

白書・統計資料

厚生労働省（2020）「図表 1-1-7　出生数、合計特殊出生率の推移」『令和 2 年度版厚生労働白書』9.https://www.mhlw.go.jp/stf/wp/hakusyo/kousei/19/backdata/01-01-01-07.html（2022 年 6 月 7 日最終閲覧）.
厚生労働省（2021）「図表 5-1-6　受給開始時期（繰上げ・繰下げ受給制度）の選択肢の拡大について」『令和 3 年度版厚生労働白書』306.https://www.mhlw.go.jp/stf/wp/hakusyo/kousei/20/backdata/5-1-6.html（2022 年 6 月 7 日最終閲覧）.
国土交通省（2021）「令和 2 年度 テレワーク人口実態調査 調査結果」https://www.mlit.go.jp/toshi/daisei/content/001469009.pdf（2022 年 7 月 16 日最終閲覧）.
消費者庁（2020）『令和 2 年版 消費者白書』. https://www.caa.go.jp/policies/policy/consumer_research/white_paper/assets/consumer_research_cms201_210608_01.pdf（2022 年 3 月 31 日最終閲覧）.
内閣府（2017）「移植医療に関する世論調査」https://survey.gov-online.go.jp/h29/h29-ishoku/2-3.html（2022 年 7 月 16 日最終閲覧）.
内閣府（2020，2021）「新型コロナウイルス感染症の影響下における生活意識・行動の変化に関する調査」（第 1 回～ 4 回），https://www5.cao.go.jp/keizai2/wellbeing/covid/index.html（2022 年 7 月 16 日最終閲覧）.
内閣府（2021）「スマートシティガイドブック 概要版」https://www8.cao.go.jp/cstp/society5_0/smartcity/00_scguide_s.pdf
日高庸晴（2016）「LGBT 当事者の意識調査 いじめ問題と職場環境等の課題」https://health-issue.jp/reach_online2016_report.pdf（2022 年 7 月 16 日最終閲覧）.

新聞

井上孝之（2021 年 1 月 26 日）「シェアリングエコノミー 場所・モノ・知恵、共有多彩 スタートアップ集積進む（関西ビジネスマップ）」『日本経済新聞』，地方経済面（関西経済）.
「宇宙ビジネス 衛星サービス、企業が競う きょうのことば」『日本経済新聞』（2017 年 4 月 24 日），朝刊，3 面.
梅国典（2021 年 4 月 9 日）「日本発のデータ基盤『テルース』森林・防災、衛星画像広がる」『日経産業新聞』，3 面.
「衛星データで漁業効率化 海水温観測、漁場予測などに『担い手不足 補える』」『日本経済新聞』（2020 年 1 月 30 日），夕刊，12 面.
小田浩靖（2021 年 4 月 30 日）「西部ガス、街づくりに参加 施設も運営、地域と接点増やす」『日経産業新聞』，10 面.
「海外取引先の人権調査 経産省、繊維業など ILO 専門家派遣」『日本経済新聞』（2022 年 2 月 9 日），朝刊，5 面.
小玉祥司（2021 年 6 月 29 日）「『はやぶさ』生かし宇宙ビジネス　新法成立、企業の資源所有権」『日経産業新聞』，2 面.
小玉祥司・西岡杏（2020 年 12 月 7 日）「日本 惑星探査で存在感　はやぶさ 2、人工クレーター作成など『7 つの世界初』　民間主導には遅れ」『日本経済新聞』，朝刊，3 面.
西條都夫（2021 年 10 月 25 日）「核心 SDGs の答えは星に聞け 人工衛星、進む社会活用」『日本経済新聞』，朝刊，9 面.
「産地の人権、企業なぜ重視？『経営リスク』認識広がる 親子スクール ニュースイチから」『日本経済新聞』（2021 年 11 月 6 日），夕刊，5 面.
四方雅之（2022 年 2 月 8 日）「東京海上、水災を即日補償 一定条件満たせば保険金 衛星データで被害推定」『日本経済新聞』，朝刊，9 面.
下村凛太郎（2021 年 10 月 6 日）「長野・上田で地域通貨の実証実験 地元商店に新たなにぎわい」『日経 MJ』，7 面.
「人権デューデリジェンス 海外で法制化進む（きょうのことば）」『日本経済新聞』（2022 年 2 月 15 日），朝刊，3 面.
世瀬周一郎（2021 年 3 月 29 日）「宇宙旅行、法整備へ一歩 日本発の有人飛行に指針　海外先行、安全基準が課題」『日本経済新聞』，朝刊，13 面.
添田樹紀・吉村駿（2020 年 7 月 27 日）「『ドクターキリコになりたい』嘱託殺人容疑の医師投稿」https://www.asahi.com/articles/ASN7W3DWKN7VPLZB01W.html『朝日新聞』.
田上翔（2022 年 1 月 7 日）「サステナ経営新トレンド 航空、バイオ燃料・鉄道連携に前向き『飛び恥』批判から競争優位狙う」『日経 M J』，9 面.
田辺静（2019 年 1 月 9 日）「カシエ 画家の生計、貸せば立つ 客の評価・要望、絵に反映（StartUp）」『日経産業新聞』，16 面.
松原礼奈（2021 年 7 月 7 日）「美術品、デジタルで身近に　シェアリングやサブスク、ネットから気軽に購入・保有」『日経 MJ』，2 面.
村井七緒子（2019 年 11 月 5 日）「『グローバル化＝英語』ではない メルカリ流の多様性」https://www.asahi.com/articles/ASMBC569XMBCULFA019.html『朝日新聞』.
村田和彦・磯貝守也・斎宮孝太郎（2021 年 11 月 20 日）「東北・道の駅 福島 28 ヶ所増加 震災後、復興の拠点に地元食材など魅力競う（データで読む地域再生）」『日本経済新聞』，地方経済面（東北）.
山下宗一郎・三宅亮（2021 年 11 月 20 日）「道の駅、4 府県が全国上回る伸び 舞鶴は海鮮を即堪能、年 70 万人集客（データで読む地域再生）」『日本経済新聞』，地方経済面（関西経済）.

インターネット

「アイカサウェブサイト」https://www.i-kasa.com/（2022 年 3 月 31 日最終閲覧）.
IPCC 第 6 次評価報告書（AR6）Climate Change 2021 The Physical Science Basis:Summary for Policymakers. https://www.ipcc.ch/report/ar6/wg1/downloads/report/IPCC_AR6_WGI_SPM.pdf(2022年6月7日最終閲覧).
IPCC 第 6 次評価報告書第 1 作業部会報告書 政策決定者向け要約 暫定訳（文部科学省及び気象庁）. https://www.data.jma.go.jp/cpdinfo/ipcc/ar6/IPCC_AR6_WG1_SPM_JP_20220512.pdf（2022 年 6 月 7 日最終閲覧）.
荒川政彦（2020）「宇宙科学最前線 小惑星探査機『はやぶさ 2』による人工クレーター形成実験」『ISAS ニュース』（JAXA 宇宙科学研究所），476，1-3，https://www.isas.jaxa.jp/outreach/isas_news/files/ISASnews476.pdf（2022 年 3 月 14 日最終閲覧）.
withnews（2020 年 11 月 20 日）「『手話でも注文』スタバができるまで…『なぜ裏方？』からの奮起」https://withnews.jp/article/f0201120000qq000000000000000W09810101qq000022093A（2022 年 7 月 16 日最終閲覧）.
NHK NEWS WEB「はやぶさ 2 特設サイト 生命の起源を探れ」https://www3.nhk.or.jp/news/special/hayabusa2/（2022 年 3 月 14 日最終閲覧）.
「株式会社 ALE ウェブサイト」https://star-ale.com/（2022 年 3 月 14 日最終閲覧）.

環境省ウェブサイト「国内排出量取引制度について（平成25年7月）」. https://www.env.go.jp/earth/ondanka/det/capandtrade/about1003.pdf（2022年6月7日最終閲覧）.
厚生労働省ウェブサイト. https://www.mhlw.go.jp/toukei/saikin/hw/life/22th/index.html（2022年6月7日最終閲覧）.
「持続可能性の項」『デジタル大辞泉』https://japanknowledge.com/lib/display/?lid=2001026046300（2022年3月14日最終閲覧）.
消費者庁消費者政策課・消費者行政新未来創造オフィス（2019）「共創社会の歩き方2019~20 シェアリングエコノミー」https://www.caa.go.jp/notice/assets/5bdcc83477e2afcadfe26c2e490f42f2_1.pdf（2022年3月14日最終閲覧）.
消費者庁消費者政策課・消費者庁新未来創造戦略本部（2021）「あんぜん・あんしんシェアリングエコノミー利用ガイドブック」https://www.caa.go.jp/notice/assets/future_caa_cms201_211001_02.pdf（2022年3月14日最終閲覧）.
スターバックス コーヒー ジャパン（2020年7月29日）「スターバックスとThink Labによる、はたらく人のための『夢中になれる』新店舗『スターバックス コーヒー CIRCLES 銀座店』7月30日（木），銀座にオープン」（プレスリリース），https://www.starbucks.co.jp/press_release/pr2020-3547.php（2022年7月16日最終閲覧）.
千葉銀行「ダイバーシティ推進の取組みについて」https://www.chibabank.co.jp/company/info/diversity/（2022年7月16日最終閲覧）.
定期航空協会（2021年11月5日）「持続可能な社会の実現に向け航空業界は一丸となって取組みを強化してまいります 航空業界として『2050カーボンニュートラル』の実現を目指します」（プレスリリース），http://teikokyo.gr.jp/wordpress/wp-content/uploads/2021/11/83c4896453515d203ea91df70687e521.pdf（2022年3月14日最終閲覧）.
テレ朝news（2021年1月28日）「世界初の『人工流れ星』夢は"未来のエンタメ"」https://news.tv-asahi.co.jp/news_society/articles/000205308.html（2022年3月14日最終閲覧）.
電通（2021年4月8日）「電通,『LGBTQ+調査2020』を実施」https://www.dentsu.co.jp/news/release/pdf-cms/2021023-0408.pdf（2022年7月16日最終閲覧）.
内閣府宇宙政策委員会（2017）「宇宙産業ビジョン2030 第4次産業革命下の宇宙利用創造」https://www8.cao.go.jp/space/vision/mbrlistsitu.pdf（2022年3月14日最終閲覧）.
日経クロストレンド（2020年9月29日）「面白法人カヤックの『NO密オフィス』は人と会うことを重視する」https://xtrend.nikkei.com/atcl/contents/18/00351/00009/（2022年7月16日最終閲覧）.
日本航空ウェブサイト「SAF（代替航空燃料）の開発促進と活用」https://www.jal.com/ja/sustainability/environment/climate-action/saf/（2022年3月15日最終閲覧）.
日本マクドナルド「McDonald's CSR Report 2020」https://www.mcdonalds.co.jp/newcommon/csr2020/pdf/CSR2020_JP_All.pdf（2022年3月14日最終閲覧）.
ニュースイッチ（2021年12月16日）「定年制を廃止したYKK，人事部長が明かす決断への思い」https://newswitch.jp/p/30053（2022年7月16日最終閲覧）.
農林水産省（2021）「SUSTAINABLE DEVELOPMENT GOALS 食品産業 日本マクドナルド株式会社」https://www.maff.go.jp/j/shokusan/sdgs/mcdonalds.html（2022年3月14日最終閲覧）.
畑中徹（2021年8月12日）「【岡島礼奈】一人で始めた『人工流れ星の会社』特技は『自分よりできる人』を集める」『THE Asahi Shimbun GLOBE +』https://globe.asahi.com/article/14414843（2022年3月14日最終閲覧）.
畑中徹（2021年12月14日）「人工の流れ星、実現まであと1歩『常識ではありえない』専門家が驚いた発想どこから」『THE Asahi Shimbun GLOBE+』https://globe.asahi.com/article/14501105（2022年3月14日最終閲覧）.
「ひのさと48」https://stzkr.com/（2022年3月14日最終閲覧）.
フェアトレード・ジャパンウェブサイト「なぜフェアトレード？」https://www.fairtrade-jp.org/about_fairtrade/why_fairtrade_sports.php（2022年3月14日最終閲覧）.
フェアトレード・ジャパンウェブサイト「フェアトレード ミニ講座」https://www.fairtrade-jp.org/about_fairtrade/course.php（2022年3月14日最終閲覧）.
富士通（2020年7月6日）「ニューノーマルにおける新たな働き方『Work Life Shift』を推進」（プレスリリース），https://pr.fujitsu.com/jp/news/2020/07/6.html（2022年7月16日最終閲覧）.
「道の駅なみえウェブサイト」https://michinoeki-namie.jp/（2022年3月14日最終閲覧）.
メディカルノート（2021年9月24日）「筋萎縮性側索硬化症」https://medicalnote.jp/diseases/筋萎縮性側索硬化症（2022年7月16日最終閲覧）.
楽天（2020年2月7日）「オフィスがまるで外国！多様な人材を受け入れるための，楽天の取り組みとは？」https://commerce-engineer.rakuten.careers/entry/culture/0001（2022年7月16日最終閲覧）.
LUSHウェブサイト「創業以来信じ続ける信念とは？」https://weare.lush.com/jp/lush-life/our-company/what-we-believe/（2022年3月15日最終閲覧）.
ユーグレナウェブサイト https://www.euglena.jp/（2022年3月15日最終閲覧）.